BWRW DAIL

BWRW DAIL

Elen Wyn

bwthyn
GWASG Y BWTHYN

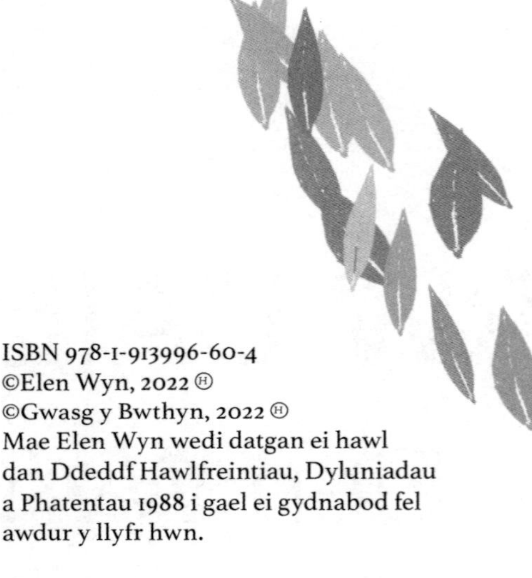

ISBN 978-1-913996-60-4

'Y Tŷ' (Cân y Fam), o sioe 'Gwcw-Gwcw'
Bryn Fôn a Margiad Roberts, Eisteddfod
Genedlaethol Bro Madog, 1987.

Cyhoeddwyd gyda chymorth ariannol
Cyngor Llyfrau Cymru.

Clawr: Ifan Emyr

Cyhoeddwyd gan:
Gwasg y Bwthyn, 36 Y Maes,
Caernarfon, Gwynedd LL55 2NN
post@gwasgybwthyn.cymru
www.gwasgybwthyn.cymru
01558 821275

Yn gyflwynedig —

I ffrindia oes sy'n gwneud i mi deimlo 'mod i adra lle bynnag ydan ni . . .

Diolch i —

Marred a Meinir, Gwasg y Bwthyn, am eu ffydd;
Rhiannon Ifans am ei hanogaeth;
Ifan Emyr am ddylunio'r clawr.

Ac i Nain, Nel Bach Lôn Glai, am gael benthyg ambell frawddeg o'i chyfrolau hunangofiannol byr a gyhoeddwyd yn yr 80au, a'u gosod yma ac acw yn rhan agoriadol llais y Tŷ.

Darllen hanesion Nain oedd yr ysgogiad i mi feddwl fod tai yn nabod eu pobol yn well na neb!

Mae'r byd yn llawn o fodau byw,
ond nid pobol ydyn nhw i gyd . . .

Mewn tŷ rhywle yng nghefn gwlad Cymru roedd un teulu yn wynebu'r dewis anodda yn eu hanes. Roedd cwmni adeiladu yn cynnig arian mawr am yr hawl i ddymchwel eu cartref.

Ofnai Alwyn mai fo fyddai'n lladd y fro Gymraeg pe bai'n gadael.

Ofnai Lona fynd o'i cho' pe bai'n aros.

Yna, gan bwyll, mae'r tŷ ei hun yn ymyrryd, â'i edau anweledig yn glymau i gyd.

Tamaid o chwedl a thamaid tebyg i'r gwir a geir yma; am gymhlethdodau cariad, galar, Cymreictod a chur ffarwelio â chartref oes.

Tasa'r tŷ 'ma'n gallu siarad
Fysai'n stori werth ei chlwad,
Stori wir heb fawr o gelwydd
Stori hen a stori newydd.

Bryn Fôn, 'Y Tŷ'

TŶ

Abiéc. Croeso i'n hysgol Sul gyntaf ni yn yr ysgubor. Y wernen oedd yma gynta, nid y ni. A ddichon dim da ddyfod o Nasareth? A Philip a atebodd, 'Tyred a gwêl.' Hel y mochyn o'r gegin. Adeiladwyd gan dlodi nid cerrig. Cariad yw'r meini. Dreigiau dan ddaear. Myrddin. Dinas. Emrys. Tro ar fyd sy'n rhoi bara beunyddiol i deuluoedd. Llaeth enwyn i hen botsiars. Jim Twenty, hen griw iawn. Rho'r peli camffor rhwng y cynfasau. Mae'r fatres wellt 'ma'n mygu. Mae gan goed yr hawl i fyw, fel ninnau. Dio'm yn barod i'w gorddi, tydi o'm 'di suro. Gei di frechdan jam fel pawb arall. Brwydr y Coed, Cad Goddau. Arawn, Brân, Amaethon, Gwydion. Crynu fel yr aethnen. Hen fuwch sâl ydi hon, ychydig o lefrith ddaw ohoni. Sgrapio'r rwdins i'r gwartheg, dyna 'ngwerth i. Faint o wyddau 'leni? Afalau ac orenau. Cofio geni Crist. Ffesant drwy'r eithin. Mwy o feddwl o'r goeden na phobol. Faint o ŷd neith hi tro yma? Welish i ben llygoden yn y gist. I'w falu'n flawd. Defaid barus ydi'r defaid cadw 'ma. 'Fry yn y glas fynyddoedd mae'r borfa bereiddiaf ei blas.' Oes y tuniau cig a'r ice cream ydi hi. Neb yn lladd ei hun i wneud cinio ddeil at eich 'sennau. Heb ddysgu dy adnod. Cei oedfa arall ar ôl dod adref. Bara llefrith a diod Oxo eto. Cyngerdd Gwener Groglith. Heb ddysgu'r geiriau. 'Ci bach fy ewythr Huw'. Splendid. Siwgr o Siop y Tyrpeg. Cafodd John Jones ei frathu gan neidr wrth ddod i'r capel. Doedd o'm gwaeth chwaith. Mae Glan Gors wedi cael Music Box. Pam fod ieir yn bwyta efo Jane Drewen a mochyn dan y bwrdd? Ti'n smart yn dy ddillad newydd. Gymanfa Ganu erioed wedi gweld ffasiwn steil. Wel toes ond y ni ein dau rŵan, mae dy fam wedi mynd at Iesu Grist. Dail dros y lle. Maen nhw'n tyfu llwyni o'r lloriau yn Siapan. Ffair anhygoel, llond stryd o anifeiliaid. Stondinau pull-away Inja Rock No. 8. Dynes dweud ffortiwn. Glywi di'r sisial sisial? Diolch byth am Fyddin yr Iachawdwriaeth. Rydym ni, bobol capel, wedi mynd i feddwl ein bod yn well na phawb arall. Erioed wedi bod ar siwrne mor hir mewn trên. Lle da ydi Capel Ealing Green. Wnest ti ddysgu smocio yn Llundain? Da iawn, chafodd y diafol ddim gafael ynot ti mewn gwlad estron. Sicr fod ganddo rai eraill ar y go. Cyfoeth Duw ydynt, nid Cyfoeth Byd. Hen dderwen Nant Gwrtheyrn. Band of Hope bob yn ail wythnos. Cymeriad nobl ydi Annie ynte, a swelan o'i cho'. 'Modryb Siân, Mr Moody, a'r ddamwain yn y Chwarel', stori dda. Ni sy'n cymryd y Gweinidog am ginio, eto. Welest ti o'n tjecio'r pwls ar y slei? Cadw fisitors ma' nhw. Hithau Janice yn rhoi anrheg fach i'r un allai ddweud y geiriau Cymraeg orau. 'Mi welais waetha' Satan, Mi welais orau Duw, Hosanna, Haleliwia, Fy nhad sydd wrth y llyw.' Gwynfor wedi cipio Caerfyrddin. Green, Green Grass of Home. Y George Thomas 'na eto fyth. Coup militaraidd ddwedodd o. Beic modur Matchless 500cc mae o 'di brynu. Where is your home when you are at home? Chwannen yr hen iâr, wedi disgwyl am flwyddyn i gael gwaed newydd. Clywed sŵn dy lais, yn lle lleisiau dynion. Cofia'r byd a'i dreialon a'i broblemau. Ddangoswn ni i Sali Huws be ydi hel mwyar duon. Does 'na neb fel Charles Williams, nag oes? Deg ar hugain o ffoaduriaid o ddinas Lerpwl wedi cyrraedd i weithio yno ac eisiau rhywun i olchi a smwddio. Gymri di dda-da tramp? Mint imperials ydyn nhw. Cymwynas yn costio dim i rai. Awel oer y mynydd, 'Yr Awel o Galfaria Fryn'. Mae o 'di pasio ei dest, washi. Angen tapio Pobol y Cwm. Nei di athro campus, mynedd Job. Diana druan, on i'n licio hi. And it's a very good morning in Wales. Ffôn heb weiars, bobol bach. Effaith y Falklands ddeudodd Meri. Mam druan, be wnâi? Dail yn bob man. Papur wal 'ma fel ffrog Laura Ashley. 'Mond wrth olchi llestri dwi'n medru gweld yr ardd. Rho dy glust yn erbyn y wal ac mi glywi di ... Every day I thank the Lord I'm Welsh. Mil harddach wyt na'r rhosyn gwyn. Paid â rhoi dymi iddi, neith 'ffeithio ei lleferydd. Calpol. Mae hi isio byw yn y dderwen. Coeden-bol-mawr. Sali Mali. Mês mesul un. Mae hi'n od, ond ni pia hi. Lle mae hi? Broga mewn poced. Ti'n werth y byd cofia. Mam, ma' gan goed galonna'. Ffonia nhw eto. Ambiwlans? Bara brith arall, diolch. Isio hi. Cwyd o'r dail, mae 'na bobol lawr grisiau. Dwi'm isio byw. Arwyddo. Dos di. Dwi'n aros. Ma'r papur yn sownd yn y printer eto. Dwi'm isio bod mewn dosbarth llawn o blant. Lliwiau llwyd mewn lle mor fach. Awydd trio vegan? Pleased to meet you, what a lovely view you have of the castle from your home. Sbia arnyn nhw'n sbio. Bysnesu. Nid yw Cymru ar Werth. Bohemian Rhapsody wir Dduw! Coch neu wyn? Miliwn o bunnau, blydi hel. Bin ailgylchu neu'r llall sy' fory? Make it yours ar fy enaid i. Sortia di'r lluniau, 'na i neud y llestri. Caru ti. Ma'r Wi-Fi lawr.

Sgyrsiau'r degawdau
fel dec o gardiau
cymysg,
rhwng muriau.
Clywais.
Clywaf.

ALWYN

Doedd Alwyn ddim yn enw llofrudd.
Ond ro'n i ar fin lladd.
Nid person. Llofruddio lle.

Arwydd yn yr ardd . . .

Arwydd yn yr ardd . . .

ALWYN

Ar ôl iddyn nhw osod yr arwydd-gwerthu-tŷ, wnes i sylwi fod y polyn oedd yn ei ddal yn union yr un siâp â phren croeshoelio. Wrth edrych o'r tu ôl, roedd yr hoelion i'w gweld yn glir, a finnau'n meddwl y basa'r groesbren yn ddigon cryf i ddal corff dynol, ella. Taswn i'n trio, gallwn osod fy hun ar yr arwydd efo 'mreichiau ar led i guddio'r geiriau. Clymu 'ngarddyrnau â chortyn go solet, ac aros yno drw' dydd fel Iesu Grist, a gweiddi 'Gorffennwyd' dros y lle.

Mi fasa'r dyn crafát drws nesa yn dal ati i dorri'r gwair ar ei injan-ista heb sylwi, debyg iawn. A'r bobol dros ffor' yn nodio'n glên wrth dynnu pennau blodau'r bordors. Codi llaw o bosib, ond dim amser i siarad, pwyntio a cherdded i gyfeiriad y drws yn meimio fod *Tipping Point* ar fin dechrau.

LONA

Mi driodd o dynnu'r arwydd-gwerthu-tŷ o'r pridd, am ei fod o'n rhy debyg i bren croeshoelio. Mae isio gras, ddeudodd o.

Efo ti, ddeudes i.

TŶ

Deffro. Piso. Dripsychu. Rhwbio llygaid. Chwythu trwyn. Sbectol. Berwi tegell. Agor bleinds. Dylan a Kate. Coffi. Elliw Gwawr. Tost. Twitter. Cachiad. Cawod. Contact lensys. Tynnu blew trwyn. Gwisgo. Brwsio dannedd. Twitter. Sws. Car. Gwaith.

Ac i ffwrdd â fo heb godi llaw. Fel ddoe, ac echdoe, a'r misoedd dwetha.

Fy ngadael ar 'y mhen fy hun i stiwio, a'r arwydd yn yr ardd.

Alwyn!

Alwyn?

Ffernol! Cyw tin clawdd! Dos i ganu. Cachgi!

Gofia i.

Lle da ydi 'adref'.

Y man lle cei ddeud neu weiddi be fynnot ti, achos gymrith neb ddiawl o sylw beth bynnag!

LONA

Weles i mo'r tŷ tan ar ôl i ni ddyweddïo. Yng nghanol berw bywyd coleg doedd dim brys a ninnau'n nythu'n braf yn ffeirio rhwng fflatiau'n gilydd.

Dyddiau breuddwydion liw dydd oedd y rheini. Hel meddyliau am fynd i Lundain i wneud fy ffortiwn fel artist ac Alwyn yn asiant i mi. Diniweidrwydd cariad newydd.

Dilyn cwrs arlunio o'n i, ac yntau am fod yn athro. Nid cariad ar yr olwg gynta, ond cariad a dyfai â'r tymhorau. Weithiau'n anodd, weithiau'n hawdd.

Ar y dechrau, doedd gen i ddim bwriad hoffi Alwyn gymaint ag y gwnes i yn y diwedd. Trwy lygad dychymyg arddegau gobeithiol roedd gen i lun o fy ngŵr delfrydol. Croesiad rhwng Brad Pitt a Bryn Fôn. Doedd Alwyn yn ddim byd tebyg i'r llun, ond yn fuan iawn 'nes i sylweddoli mai diflas ydi paentiadau perffaith. Celfyddyd haniaethol i mi bob tro.

Mae o'n coginio'r cyrri gorau, yn gadael imi gysgu wrth wylio ffilm ac yn dadmer ffenestri'r car ar foreau rhewllyd. A thasa gen i filiwn, neu taswn i'n fyw am fil o flynyddoedd, fo 'swn i yn ei ddewis, nid y dyn yn y llun.

ALWYN

Nid arwydd 'Ar Werth' go iawn oedd o, ond llun dynes dlos ar feic mewn coedwig yn wên i gyd, â'r geiriau 'Make it yours' uwch ei phen. Yna, enw'r cwmni adeiladu a'r swaden eiriol 'New Houses – Coming soon' oddi tano.

Roedd Taid yn arfer sôn fod y pridd o flaen y tŷ yn rhy galed i blannu, ac mai dyna pam y tyfai'r rhosod a'r coed lawer gwell yn y cefn, gan gynnig sioeau tymhorol – a rhoi'r seddi blaen i'r teulu.

Chafwyd dim trafferth plannu'r plac 'Make it yours' yn y ffrynt fodd bynnag, a hwnnw'n rhoi sbloets gyhoeddus i bawb. 'Sa waeth i rywun fod wedi bachu rhybudd fflachiog lôn-ar-gau o ryw drafford a'i sodro yn yr ardd efo'r geiriau:

Oedi Posib.

Dargyfeiriad.

Alwyn.

Bradwr.

LONA

Doedd ymweld â'r tŷ am y tro cynta i mi ddim yn brofiad yma nac acw. Tŷ oedd tŷ. Waeth pa mor fawr neu fach, blêr neu daclus oedd o, bod yno efo Alwyn oedd yn bwysig. Gwyddwn fod angen dipyn o waith cynnal a chadw ar y lle, a'i fod wedi ei amgylchynu gan goed a chaeau.

Mi gafodd Alwyn ei fagu yn y tŷ gan ei fam a'i daid. Unig blentyn a arferai fod yn un o ddau. Newydd ddechrau cropian oedd Alwyn pan fu farw ei frawd ac yntau brin allan o'i glytiau.

Doedd dim sôn am dad, a chan nad oedd ganddo un, doedd o ddim isio un chwaith. Wfftiai'r term 'teulu-un-rhiant', roedd ganddo fam a thad mewn un. Hi ddysgodd o nad oedd neb yn dryst, ond hithau hefyd ddangosodd iddo sut i afael llaw mor dyner.

Ychydig fisoedd ar ôl i Alwyn adael am y coleg, mi farwodd ei fam. Doedd y ddau erioed wedi bod ar wahân, a thasa fo heb adael mi fasa hi wedi byw, medda fo.

Mi welais o'n etifeddu tŷ a thyfu'n ddyn dros nos, gan ddathlu cyrraedd ei ugeiniau yn diota a chadw cartref am yn ail.

Heb brofi profedigaeth lem erioed, roeddwn i'n ei chael hi'n anodd deall y golled a doedd gan y coleg ddim dosarthiadau nos *Cydymdeimlo'n briodol.*

Fi, yr hyna o dair mewn teulu go drafferthus. Dad yn cael pyliau o dristwch a Mam yn cael pyliau o redeg i ffwrdd. Rheolwr banc oedd Dad, a ninnau'n newid cynefin cyn amled ag oedd Mam yn newid steil ei gwallt. Doedden ni ddim yn gwirioni ar ein gilydd nac yn casáu ein gilydd. Teulu siaradus ar y naw, ond hefyd yn giwed o frathwyr tafod.

Roeddwn i wastad wedi meddwl y gallwn fyw yn unrhyw le yn y byd, y cwbl oedd arna i ei angen oedd gliniadur a gofod i beintio a chreu. 'O'n i yn breuddwydio am: wireddu breuddwydion yn Llundain, coffi a *cognac* Paris a choed Dolig Efrog Newydd, ond roedd Alwyn yn cynnig carden gref: cartref diforgais i fyfyriwr tlawd, a doedd dim angen bod yn ysgolhaig i sylwi mai bwrw angor yn ei dŷ o oedd ddoetha.

Hyd heddiw dwi'n cofio cerdded fyny'r llwybr cul at y drws ffrynt am y tro cynta. Roeddwn i wedi dychmygu y byddai'r tŷ yn llwydaidd a thrist, ond safai yn wyngalchog a thwt. Gwisgai sgert lafant a mintys y gath, a sgarff o iorwg rhwng y ffenestri.

Roeddwn i wedi fy siomi ar yr ochr ora nes cyrraedd y cyntedd a theimlo ias yn bodio 'ngwar.

TŶ

Cael pyliau oedd Alwyn. Fyny a lawr. Fel eos, neu'n isel fel mul. Yfed ei berfedd weithiau, neu'n sobor fel sant am fisoedd. Doedd o'm fel'na erstalwm. Roeddem yn ffrindiau garw cyn i ganol oed ei ddwyn.

Torri llestri, gollwng plu, plagio cathod ac aflonyddu.

Dyna'r drefn mewn tai a chestyll erill, ond mae gen i hunan-barch. A' i'm i grafu dros 'y nghrogi.

A beth bynnag, dwi'm yn un i godi bwganod.

LONA

Tŷ wedi ei wreiddio mewn cae ger lôn bost oedd cartref Alwyn. Dwy filltir o'r pentref agosaf, a'r dref bum milltir fel yr hed y frân.

O flaen y tŷ roedd gardd fechan wyllt, wal gerrig â llechen las ar ei phen, a dwy erddinen yn gwisgo'u trimins Dolig bob haf. Ond, yn y cefn oedd y sioe ora, fel Eden *Beibl y Plant Mewn Lliw.* Coeden rosys, eirin a gwsberis, coeden dderw dew, ac un arall deneuach a thalach. Dwy goeden fagnolia. Un goeden fala. Cysgodai'r ardd a'r patio o dan barasol amryliw werdd.

Dros y wal gefn roedd yna goed bedw, llwyfen ac ynn yn fframio'r caea. Hefyd tua hanner dwsin o gochwydd mewn cornel yn sefyll ben ac ysgwydd yn uwch na'r gweddill.

Ond doedd y gadeirlan goed yn y cae ddim yn cymharu â'r wyrth ryfedda un oedd yn tyfu tu mewn i'r tŷ.

Gwernen wrth ymyl y grisiau.

TŶ

Mae coed â gwreiddiau dyfn yn chwerthin yn wyneb y storm, chwedl y brain – mi fasa'n dda o beth i ti gofio hynny, Alwyn . . .

LONA

Doedd y wernen ddim yn tyfu mewn potyn; roedd hi'n tyfu o dwll yn y llawr. Gwernen, a'i changhennau fel ambarél yn sownd i'r to. Ei dail siâp racedi tennis ag ymylon rhychog yn wyrdd perffaith.

'O'dd taid 'y nhaid yn caru'r goeden yma,' mwythodd Alwyn ei law dros y rhisgl, 'felly yn hytrach na chael gwared ohoni, mi benderfynodd adeiladu cartref o'i chwmpas hi.'

'Sut andros wnest ti anghofio sôn am y goeden? Ond eto'n atgoffa am filiau a chostau hen dŷ mor aml!' Rhyfeddais na soniodd wrtha i am y goeden yn gynt.

'O'dd taid Taid isio i'r goeden doddi i'r tŷ,' ochneidiodd, 'neu'r ffordd arall ella.'

Ceisio fy argyhoeddi fod ei gyndeidiau ar flaen y gad ddaeth wedyn. Gwnaeth sioe dda ohoni yn dangos erthyglau â hanesion penseiri hirben oedd yn dylunio tai er mwyn achub coed hynafol. Roedd ganddo luniau o wair yn tyfu o'r waliau mewn swyddfeydd yng Ngwlad yr Iâ a fflat yn Tsieina efo llwyni'n dod o'r llawr.

Ar y dechrau, i blesio, mi driais anghofio am y wernen oedd yn tyfu wrth y grisiau. Gwell oedd canolbwyntio ar hyfrydwch y tŷ: y ddresel gollen Ffrengig, y lloriau llechi, a'r cwpwrdd-cornel-llestri-gorau. Hen silff pen tân y parlwr yn llawn o blatiau piwter a chanhwyllau pres, arogl lafant yn dod drwy fylchau fframiau'r drysau ac oglau nionod picl yn y pantri.

Mewn amser, mi ddois inna i sylwi fod y wernen yn cymryd ei lle yn y cyntedd lawer gwell nag unrhyw lamp neu seidbord. Mae gwyrdd ei blodau yn lliwio dillad y tylwyth teg, medd rhai. A phan gâi ei thorri, trôi'r pren gwelw yn oren tywyll, gan roi'r argraff ei bod hi'n gwaedu, ond wrth gwrs, dim ond mewn chwedlau roedd hynny'n digwydd, chwarddodd Alwyn.

ALWYN

Pan ddaethon nhw yma i osod yr arwydd *for sale*, o'n i yn y parlwr wrthi'n didoli hen luniau. Rhai wedi nythu ers blynyddoedd mewn bocsys *Quality Street* a'r lleill mewn llyfrau gludiog, wedi cyrlio a melynu. Tynnu cymeriadau'r teulu o'u harfwisg blastig a'u gosod yn nhrefn yr wyddor fel jig-so ar y bwrdd. Hongian y lleill efo pegiau bach maint pìn bawd ar ganghennau'r aethnen. Fel gosod addurniadau Dolig heb y tinsel. Lona oedd wedi gofyn imi neud rhywbeth defnyddiol, yn hytrach na stwna.

Nôl neges oedd hi ar y pryd. Powdwr golchi, llefrith, *mouthwash*, dim byd mawr.

Oes rhaid i ni siarad rŵan? Dwi'n gwthio troli, meddai.

Oes, maen nhw'n colbio'r pren i'r pridd, ddeudes i.

Roedd hi'n ddiamynedd. Ond roedd hwn yn ddigwyddiad mawr, ac yn haeddu galwad ffôn yn hytrach na neges decst.

Fydda i'm yn hir, meddai wedyn. 'Mond prynu torth becws, ar ffordd 'nôl.

Un wedi'i sleisio? gofynnais.

Â jam arni? atebodd hithau'n goeglyd.

Gyda'r ffôn rhwng ysgwydd a boch gafaelais yn y cyrtens gan ddal ati i roi sylwebaeth ar y pryd.

Mamoth o fan wen a chriw y capiau pêl-fas yn nadreddu ohoni.

Ydi lliw a maint y fan o dragwyddol bwys? 'Sa'n well gen ti tasan nhw wedi cyrraedd ar gamelod?' holodd hi.

A dwi'n cofio meddwl mai Lona oedd yn gywir, ac nad oedd affliw o ots am liw'r fan. Fan ydi fan, mae'n siŵr, ond i mi, roedd pob gronyn o'r broses yn cyfri.

Mi wyliais i nhw â llygad barcud yn plannu'r groesbren, yna'n hoelio sgwaryn pren ar ei blaen. Gludo poster ar hwnnw, ac un, fel dyn golchi ffenestri, yn rhwbio'r crychau â chadach. Roedd sgwad y crysau polo yn chwerthin ac yn chwarae cwffio. Rhag cywilydd iddyn nhw fod yn hapus ar achlysur mor anodd i mi.

Naethon nhw'm hyd yn oed canu'r gloch i ddeud eu bod nhw yma, esboniais. Ac maen nhw'n siarad Saesneg.

Wfftiodd Lona, a deud wrtha i am beidio ponsio am bethau mor bitw.

Tasan nhw wedi canu'r gloch, a chanu 'Bugeilio'r Gwenith Gwyn', fasat ti wedi eu helpu nhw?

Ac mi ddiffoddodd y ffôn. Ymarferol, dyna Lona i'r carn. Aur y byd sy'n dal ei phen uwchben y dŵr, er bod tonnau geirwon o'i chwmpas.

Maestro synnwyr cyffredin. Y meistr i fy Mistar Mostyn.

LONA

O fewn dim o dro mi gymrais at y wernen. Roedd yna rywbeth reit hynod am gael coeden go iawn mewn tŷ, ac mi roedd popeth yn mynd yn o lew, nes i Alwyn sôn am y sŵn. 'Rho dy glust yn erbyn y wal, ac mi glywi di,' ddeudodd o. Chwerthin wnes i. A fynta'n gymaint o dynnwr coes, o'n i'n meddwl fod o'n deud jôc.

Chwech oed oedd o pan sylwodd fod ei gartref yn siffrwd. Ar y dechrau 'nes i ystyried efallai nad oedd y syniad o blentyn chwech oed yn siarad efo'i dŷ cynddrwg â hynny. Cogio bach; natur plant.

'Dwi 'di bod isio deud wrthot ti ers misoedd,' â'i lygaid yn sgleinio. 'Ond roedd arna i ofn sut 'sat ti'n 'mateb.'

Ymateb tebyg i unrhyw un arall, meddyliais, o glywed fod ei darpar ŵr yn siarad efo waliau.

'Amynedd pia hi,' oedd ei gri wrth esbonio fod y tŷ yn gallu bod yn swil â phobol ddiarth, ac fel mewn unrhyw berthynas, y dylid caniatáu amser i ddod i nabod ei gilydd.

'Paid â gwamalu,' ddeudes i. 'Tydi tai ddim yn fyw.'

Doeddwn i ddim yn coelio wrth gwrs, ond mi chwaraeais y gêm, wedi'r cwbl roeddem ar fin priodi. Ac er cymaint ei ffaeleddau a'i odrwydd roeddwn i'n caru Alwyn yn angerddol, a gwyddwn fod y galar ym mhoced ei gôt yn drwm.

‘Nid sgwrsio fel ti a fi mae’r tŷ, cofia,’ rhybuddiodd. ‘’Sna’m brawddegau na hel clecs.’

Yn ôl ei stori, roedd enaid y tŷ yn llifo drwy’r pibelli, lloriau a’r waliau ac yn bwydo gwreiddiau’r wernen. A thaswn i’n oedi am funud, a gwrando go iawn, faswn i’n siŵr o glywed.

Gydag amser, mi ddois i garu’r tŷ fel y cerais y wernen. Nid i’r un graddau ag Alwyn, ond mi ddysgais i werthfawrogi ei glydwch, a’i dameidiau unigryw. Ein tŷ ni oedd o bellach. Fama fydda ni’n magu ein plant. Cymry bach newydd. Balch.

A’r diwrnod ar ôl i ni briodi, yng nghornel y parlwr, wrth ymyl y pentan a’r platiau piwter, mi flagurodd aethnen fain o dwll yn y llawr.

ALWYN

Wrth imi lyncu mul ynghylch yr arwydd yn yr ardd, daeth Lona adref â'i bagia siopa. Torth, llefrith . . . ond hefyd siampên rhad, eog wedi'i fygu a bocs o siocled drud. Roedd hi'n marw chwerthin ac isio cocsio ei bod hi'n Ddolig!

Yfon ni'r siampên fel tasa fo'n ddŵr, wedyn caru ar y soffa wrth sipian jin eirin duon cartref. Doedd hi'm yn arferol i ni garu tu hwnt i'r ystafell wely na'r penwythnos, ond doedd ddiawl o ots. Roedd hi'n Ddolig. Hwyl yr Ŵyl i bawb!

A dyna esgor ar gyfnod y 'pam-ddim?' Ffarwél i reswm a phwyll, achos roedden ni ar fin gadael tŷ 'mhlentyndod. Fi oedd bradwr mwya'r byd. A 'swn i'n hoffi bod yn ôl yng nghanol miri'r pnawn yna. Caru ar y carped. Siampên mewn gwydr peint. Anghofio golchi'r llestri. Gwisgo'r un trôns am dridia. Hwylio'n agos at y gwynt.

'Sa waeth i ni fod wedi peintio'r tŷ yn binc ar f'enaid i, medda fi. Gosod goleuadau tylwyth teg rownd y ffenestri, a Siôn Corn ar ben y simnai. Oherwydd, unwaith i'r arwydd-ar-werth daflu'i flagur, mi ddaeth llif cyson o ymwelwyr-dau-funud i'r golwg.

Welish i nhw. Yn pasio heibio yn eu ceir. Rhai wynebau cyfarwydd, eraill yn ddiarth. Yr Awn-ni-heibio-jest-i-weld, y Choelia'i-fyth-iaid, y Fydda'i-fam-o'n-troi'n-ei-bedd-iaid. Pererinion 'tranc y pentref' mewn *hatchbacks* ac ambell *SUV* a phenau'r pererindadau'n towcio tu ôl i'r windsgrin. Ofn imi eu gweld yn busnesu a difetha'u howtin.

Yrwyr annwyl, mi weles grychu talcen a thwt-twtian y cwbl lot ohonoch chi, hyd yn oed y rhai nath danio'r weipars, a hithau'n haul braf.

LONA

Doedd dim amheuaeth gen i mai gwerthu'r tŷ oedd orau. Ond i Alwyn roedd o'n benderfyniad anferth. Do'n i'm isio ei frifo a finnau'n ei garu.

Ei garu mewn tonnau, fel hiraeth.

Mewn cân, cyffyrddiad neu jôc sâl dda. Mewn swsys *WhatsApp*. Mewn paned gwely.

Ac er mai fi oedd isio gadael, doedd arwyddo'r cytundeb ddim yn hawdd â'r tŷ'n glymau i gyd. Ond, gan mai fi oedd isio tŷ newydd a chymryd y pres, fi felly oedd y bwgan. Mi oeddwn i'n brifo hefyd. Roedd gadael y tŷ, ei gynnwys a'i gyfrinachau yn gam mawr. Ac ar ôl arwyddo, wnes i grio.

Nid yn dawel bach chwaith, ond powlio.

Crio digon i bobi bara.

TŶ

Tŷ byw – cysyniad od i fodau dynol.

Cofiwch chi, mae'n dderbyniol gan rai siarad â dyn gwyn barfog ar gwmwl, a chofio gŵr gwyn barfog (arall) yn achub y ddaear rhag y dilyw.

Ond, er tegwch i bobol y byd, mae eu hamser yn brin. Mae ganddyn nhw reitiach pethau i'w gwneud na phoeni am eneidiau adeiladau a choed. Rhyfela, difa ecosystemau, boddi mewn plastig a ballu.

Mae bywyd yn brysur a'r Wi-Fi'n ara deg, chwarae teg.

Awn ni ddim i hollti blew.

LONA

Aeth Alwyn i'w waith.

Doedd o'm ffit a deud y gwir.

ALWYN

Ffenestri wedi stemio a choffi llugoer. Hanner awr tan gloch amser chwarae. Dwy awr a hanner tan gloch cinio. Pum awr tan amser mynd adref, a'r cytundeb i werthu'r tŷ yn drwch ar fy meddwl.

Ffôn ar lin.

Sgrolio. Fyny
a
lawr yn darllen y
cytundeb.

O'm blaen, ugain wythmlwydd yn creu dyddiaduron faciwîs.

Pydru o'n i. Sgriblan ar lyfr nodiadau'r meddwl wrth fwytho'r sgrin dan y ddesg.

Client is the rightful
and legal owner
and is requesting the
demolition of said
address as stated
in this demolition contract.

O'n i mewn byd a ninnau newydd gytuno i ddymchwel y tŷ. Cartref Mam, Taid, ei fam o, a'i thad hi cyn hynny. Heb fawr o amser ar ôl i newid meddwl, wnes i ddechrau cario cwmwl ar dennyn rownd bob man. O'n i wedi berwi fy mhen ar gownt y gwerthu, a'r felan wedi cymryd sedd wrth fy ymyl a chicio'i thraed ar ben y ddesg. Finnau'n gafael yn dynn yn y cwmwl fel balŵn.

'Dwi'n gwaedu, Syr,' medda un, 'y siswrn nath!'

'Gwaed coch?' Ateb deifiol gen i braidd, ond roedd hon yn un oedd yn sniffian neu'n brifo'n dragywydd.

'Ia. Coch fel sôs.'

'Ma' gwaed coch yn iawn. 'Sa ond lle i boeni tasa'r gwaed yn wyrdd.' Yn ôl â hi at ei chadair a finna'n ôl at fy ffôn.

Gwerthu'r tŷ i'w ddymchwel, dyna'r ddêl. Cytuno. Dim ond jyst. Er mwyn iddyn nhw, y cwmni adeiladu, fedru codi degau o dai a lôn newydd. Croeso i Stad-Castle-View-tai-clyfar-gyd-'run-fath. Lle mae pob tŷ yn gastell, cyrn sain yn tanio'r poptai a 5G yn dod o'r tapiau efo'r dŵr. Cwmni cyfyngedig o ffwrdd a'u tai yn gyfyng iawn.

'Syr. Mae Siôn yn sâl,' daeth cri un o'r arch-achwynwyr, ac felly fel pob athro da chymrish i ddim sylw.

'Syr!' gwaeddodd yn uwch. 'Mae Siôn yn sâl go iawn.'

Codais fy mhen fel yr oedd Siôn druan yn codi o'i

gadair, a'i wyneb yn wynnach na'r bwrdd gwyn, gan chwydu uwd y bore dros y bwrdd.

Chwd dros lyfrau, dwylo a rwberi.

Mewn clustiau. Mewn plethi.

Hoglau sur yn rhodd y dydd i'm hatgoffa mai braf oedd bywyd athro.

Sefais a gwylio'r ffilm arswyd yn mynd rhagddi rhwng y desgiau. Hanesion faciwîs ar eu hanner wedi'u tampio gan ddarnau o'r taflu fyny. Ond yr unig beth o'n i isio ei wneud oedd tynnu cytundeb y tŷ o grombil y ffôn a'i rwygo'n ddarnau.

Es i fochel dan y ddesg rhag yr uwd a'r mwncïod ben byrddau. Mis o gyfnod i ailfeddwl oedd ynghlwm â'r telerau gwerthu. Ond fasa canrif ddim yn ddigon imi, wrth i raff dynhau am wddf y tŷ yn lle'r landeri.

Ar 'y nghwrcwd ac yn foddfa o chwys, i gyfeiliant Injan dân o sgrechfeydd, cydiais yn dynnach yn y balŵn.

TŶ

Roedd gen i lwmp yn 'y ngwddw wrth feddwl be fyddai'n dod ohona i a'r coed. A'r tŷ drws nesa yn deud wrtha i am beidio bod yn gymaint o fabi. Achos doedd tai ddim i fod i grio. A ro'n i yn trio bod yn ddewr, ond roedd hi'n anodd a finna bron â marw.

Doedd y misoedd dwetha ddim wedi bod yn hawdd ag Alwyn yn ymbellhau, a 'nes i feddwl ella y basa rhannu 'nheimladau yn gwneud lles. Bwrw bol, achos doedd sefyll o gwmpas yn hel meddylia'n dda i ddim i neb.

Mae'n ocê peidio bod yn ocê maen nhw'n ddeud, ynde?

LONA

Roedd arwyddo'r cytundeb i werthu yn achlysur Magna Cartaidd. I Alwyn yn fwy na fi, ond mi roeddwn i'n teimlo'r cyfrifoldeb yn arw hefyd. A'r orchwyl o fynd i swyddfa'r twrne yn y dre i lofnodi'r dogfennau yn un mor ddiarth o swyddogol. Pâr priod cyffredin yn mentro i fyd anghyfarwydd y gwerthu tai, a'r penderfyniad yn pwyso.

Wrth estyn am y pìn inc o'n i'n teimlo allan o 'nghynefin, a do'n i'm yn meddwl mai fi oedd y person oedd yn sgwennu, fel taswn i'n edrych o bell ar rywun arall. Gyda chyfrifon banc a siopau yn cael eu storio yng ngho bach y ffôn, roedd gafael mewn beiro yn teimlo'n estron.

Inc yn toddi i'r A4 moethus hufennog. Y Conqueror Paper Wove Cream.

Roedd hwn yn bapur drud a chorfforaethol, o ansawdd gymaint gwell na'r *inkjet* oedd gen i adref. Pinwydd, sbriws a chegid y gorllewin sy'n creu papur o safon. Papur gwyn neu hufen moethus y twrneiod a'r bancwyr. Mae aethnenni a bedw'n llawer gwell i brintio cylchgronau a thaflenni. Shafins rheini sy'n creu'r papur dwi'n eu defnyddio fwyaf wrth fy ngwaith, gan wybod na fydd dros hanner o'r tudalennau sy'n cael eu hargraffu byth yn cael eu darllen.

Ar waelod cytundeb y gwerthiant dwi'n gweld y geiriau cyfarwydd:

Please consider the environment. Think before you print.

A chyda hynny mae llofnodion fy ngorffennol yn taflu gwreichion i fyllni'r stafell liw gwlanen.

Tystysgrifau priodas.

Geni.

Marwolaeth.

Gwegian mwyaf sydyn wrth wneud syms.
Roedd saith mlynedd ers i mi arwyddo tystysgrif marwolaeth Meinir. A saith mlynedd cyn hynny, ei thystysgrif geni.

Alwyn arwyddodd y gyntaf, fy meddwl fel toes ar ôl geni.

Fi arwyddodd yr ail, oherwydd i'w feddwl o droi'n sment.

Prin y gallai Alwyn gerdded, heb sôn am yrru car a thorri enw ar ddogfen. Prin y gallwn i chwaith, ond mi wnes.

Doeddwn i ddim wedi llofnodi dogfen swyddogol ers saith mlynedd. Ers sgwennu ei henw hi mewn bocs bach ar bapur, hithau'n gorwedd mewn bocs arall. Roedd oglau'r inc yn codi pwys. Fel cyfog misoedd cyntaf beichiogrwydd, pan na fedrwch chi rhannu baich y salwch, rhag ofn i bethau fynd o le.

Do'n i'm isio troi'r drol yn fama chwaith. Felly, trio mygu'r cyfog gwag rhag i Alwyn weld fod gen i ofn.

Fi oedd i fod i'w gynnal o, am mai fi oedd isio gadael a fo isio aros.

Cydiais yn y beiro a'i osod ar y llinell ddotiog gan atgoffa'n hun mai arwyddo cytundeb i ddymchwel tŷ a choed oedden ni, nid bradlofruddio.

Tyrd yn dy flaen, Lona fach . . . Think before you print . . .

TŶ

Mae sgyrsiau oes wedi

eu tywallt

i 'mol.

Clepian blith draphlith y beunyddiol

yn torri syched.

A thrwy'r lloriau, rhwng distiau dwi'n sipian rhythmau'r dyddiau,

geiriau'n

di

fe

ru

lawr waliau.

Ma'n hanes i'n dwt ac yn flêr. Sgwennu sownd a lliwio dros linella.

Wna i'm datgelu'n oed na nghynllun llawr.

Penderfyna di ar liw i'm llygaid, i'm drws, i'm ffenestri a 'nhalcen.

Rho fy sylfeini

rwla ti ffansi.

LONA

'Felly, mae 'na ddarn o bapur yn rwla yn deud mai Dad a chdi pia'r tŷ?' holodd Meinir wrth fy ngweld i'n rhoi trefn ar ddogfennau a phapurau un tro.

'Oes,' medda fi, 'Mae 'na gofnod swyddogol sy'n dangos mai ni pia'r coed hefyd.'

Edrychodd arna i yn rhyfedd, 'Mistêc?'

'Be ti'n feddwl, camgymeriad?'

''Sa'n well i ti newid y papur,' rhybuddiodd Meinir yn llym.

'Pam?'

'Y coed pia ni siŵr iawn!'

ALWYN

Llygaid (ffenestri llofft Mam a fi)

Trwyn smwt (drws ffrynt)

A bochau byns (ffenestri'r parlwr a'r stafell soffa)

Chwech oed o'n i pan wnes i sylwi fod y tŷ yn fyw.

Roeddwn i ar gychwyn i hel mwyar duon, achos fod Sali Huws fferm fyny lôn wedi cael swp, a 'di dod â chrymbl i'r ysgol. Cafodd sticer seren yn ei llyfr gwaith, a finnau'n flin ei bod hi'n brolio a chael gormod o sylw.

Gyda'r fasged yn un llaw, a Mam yn gafael yn y llall, o'n i'n barod i ddangos i Sali Huws fod teulu ni gystal bob tamed am hel mwyar. Roedd Taid wrth y drws yn siwio ni 'mlaen, a dyna pryd ddigwyddodd o am y tro cynta. 'Nes i sylwi fod y tŷ, tu ôl i Taid, yn edrych arnaf. Llygaid gwydr a thrwyn smwt y drws.

Mi roedd o'n gwenu.

O wal i wal.

Mi olchodd rhyw lawenydd drosta i a finna'n ysgwyd braich Mam.

'Mam! Mae'r tŷ yn gwenu!'

Gwyrodd a gosod y fasged ar y llawr. Â golwg cyhoeddiad o bwys arni, gafaelodd yn fy sgwyddau ac edrych i fyw fy llygaid.

‘Ti ’di sylwi o’r diwedd, ’ngwas aur i.’ Rhoddodd sws ar fy nhalcen a sibrwd, ‘Mae tai da yn gwenu ar bobol dda, wsti. Os cofi di hynny, ei di’m ymhell o dy le.’

Edrychodd o’i chwmpas fel tasa hi isio gwneud yn siŵr nad oedd neb yn gwrando, mwytho ’mhen, a dyma ni’n mynd am dro i hel mwyar heb sôn chwaneg. Roedd Mam yn dawel wedyn, a ’nes i ddim holi achos ro’n i’n gwybod nad oedd hi isio trafod. O’n i wedi gwirioni ac isio crio ’run pryd. Crio hapus, chwerwfelys. Crio sylweddoli ’mod i’n tyfu fyny.

Yn araf deg, dros y dyddiau wedyn, mi ges i ragor o hanes y tŷ. Mam yn bwydo’r manylion mewn darnau bach fel siocled tywyll, yn foethus a rhyfeddol.

Roedd popeth wedi newid. Do’n i’m yr un bachgen, achos roedd gan fy adref i – wyneb. Ac nid hogyn gwirion yn chwarae plant bach oedd hyn, achos roedd Mam a Taid yn cytuno, roedden nhw’n rhan o’r gêm. Ac nid gêm oedd hi, achos mewn gêm mae ’na enillwyr a chollwyr, a do’n i’n sicr ddim ar ’y ngholled oherwydd roedd tŷ ni’n fyw. ‘Fel dyn y lleuad neu Frenhines yr Wyddfa,’ ddeudodd Mam. ‘Yno erioed, er does ond rhai yn sylwi.’

‘Ydi pawb arall yn gweld ’run fath?’

‘Ambell un,’ atebodd yn glên. ‘Rhyw allu hynafol ydi o, sy’n dal i dyfu mewn rhai pobol.’

Roedd y ‘gallu hynafol’ ’ma yn swnio’n gymhleth. Geiriau plant mawr braidd. A do’n i’m yn licio meddwl fod ’na rwbath yn tyfu tu mewn i mi.

‘Os mai ’mond rhai sy’n gweld – pwy ydyn nhw?’

‘Dwn i’m,’ meddai Mam yn bwyllog. ‘Anaml iawn y mae pobol sy’n gweld yn cyfaddef.’

’Nes i ddechrau poeni wedyn ein bod ni’n deulu od. Yn gweld pethau nad oedden nhw’n bod. O’n i’m yn meddwl y baswn i’n gallu trystio fy ll’gada fyth eto.

‘Ai’n meddylia ni sy’n chwarae tricia, Mam?’

Tynnodd fi ar ei glin. Un dda oedd hi am esbonio pan do’n i’m yn dallt.

‘Meddylia di am ddyn o Oes y Cerrig, yn sefyll mewn cae ac yn crafu ei farf.’ Gwenai Mam â’i cheg a’i meddwl. ‘Ti’n ei weld o’n sefyll yno, yn crafu ei farf?’

‘Yndw,’ a chau’n llygaid yn sownd i weld yn well. ‘Mae’i farf o’n cyrraedd at ei fol o.’

‘Wel, mae’r dyn bach Oes y Cerrig yn crafu ei farf am ei fod o’n pendroni. Tydi o’m yn siŵr os ydi’r siffrwd sy’n dod drwy’r rhedyn yn sŵn teigr gwyllt llwglyd neu ddim ond awel go gryf.’

‘Teigr oedd o?’ Yn nüwch y meddwl, gwelais fwystfil danheddog yn barod i larpio’r dyn locsyn druan.

‘Wel, mi ddeuda i hyn wrthot ti. Mi roedd y dyn bach barfog lawer mwy tebygol o oroesi os oedd o’n credu mai teigr oedd tu ôl iddo fo. Er mwyn iddo fo allu rhedeg nerth ei draed o ’na, jest rhag ofn i’r teigr ei fwyta fo i ginio!’

‘Ond, ella mai awel oedd y sŵn?’

‘Ella wir, ond yn oes yr arth a’r blaidd roedd hi’n well i bobol gredu eu bod nhw’n gweld wynebau bwystfilod er nad oedden nhw. I gadw’u hunain a’u teuluoedd yn ddiogel.’

’Nes i’m dallt yn iawn, ond mi roedd Mam yn dallt ac mi roedd hynny’n ôl reit.

Gafaelais ynddi, mewn coflaid gynnes. ‘Be sy’ a wnelo’r teigr efo’r tŷ?’

Ochneidiodd ac anwesu ’nhrwyn. ‘Mae patrymau mewn pethau diarth weithiau’n rhoi cysur i bobol, Alwyn. Dyna’r cwbl.’

Y broblem imi ar ôl clywed am fyd newydd y tŷ a’n teulu ni oedd ’mod i’n gweld wynebau mewn pethau ym mhob man. Mewn brigau a chymylau, dail a blodau. A thai eraill hefyd.

Tŷ Mochyn – ar ben y bryn. To uwch y portsh oedd o’n union fel trwyn mochyn o bell, a’r ddwy simnai bwt yn glustiau.

Tŷ Trist – wrth ymyl y groesffordd. Dwy ffenest hirsgwar â phaneli du a gwyn oedd yn rhoi golwg gwgu i’r tŷ, fel tasa’r bobol tu fewn yn rhegi a’i fod o isio eu poeri nhw allan.

Tŷ Tylwyth Teg Tew – bwthyn to gwellt ar y tyrpeg. Dwy ffenest bitw o dan blygiad y to, a hatsh o dan rheini. Gwellt yn gorwedd dros yr ochrau, a’r tŷ angen torri’i wallt.

Tŷ Clown – ganol dref. Fflat ail lawr, wrth y sgwâr.

To pig. Dwy ffenest gron, a stensil rhuban browngoch odanyn nhw, yn union fel ceg clown.

Eglurodd Mam mai dim ond rhai tai oedd yn fyw, a dim ond rhai pobol yn y byd oedd yn dallt.

'Tai arbennig a phobol arbennig yn unig sy'n cael hyd i'w gilydd,' ddwedodd Mam.

Ro'n i'n falch gythreulig bod y tŷ wedi cael hyd i'n teulu ni, ac yn ysu i gael gwybod popeth. 'Os oes gan dŷ wyneb, oes ganddo fo galon hefyd?'

'Oes,' nodiodd Mam. 'Os gelli di weld ei wyneb a theimlo ei galon, dyna ti arwydd y dylai'r teulu a'r tŷ fod efo'i gilydd am byth bythoedd.'

'Amen!' meddwn i fel pregethwr, a mynnu mwythau.

Ar ôl deall fod tŷ ni'n wahanol i adref pawb arall, doedd hi fawr o dro nes imi glywed ei sŵn. Nid brawddegau fel sgwrsio pobol, ond sisial tawel, yn 'chydig bach o soddgrwth, neu rywbeth tebyg i ffliwt.

'Ydi pibellau fama yn gwneud twrw gwahanol i dai eraill?' dyma fi'n gofyn i Taid 'rôl gosod fy nghlustiau ar bob wal a pheipen. A fynta'n egluro mai gwythiennau'r tŷ yn cnesu oedd y sŵn, ac yn anfon ynni i wreiddiau'r wernen, a'i fod o'n falch 'mod i'n ddigon hen i glywed.

Wedyn 'nes i ddechrau synhwyro curiad calon, yn union fel wnaeth Mam ragweld. 'Wir yr, Taid, dydi o ddim yn 'y mhen i. Mae o'n bob man.'

‘Y sisial sisial.’ Rhwbiodd ei ddwylo a chytuno. ‘Y tŷ sy’n mwytho’i hun o’r tu mewn, a’r plastar yn canu grwndi.’

O hynny ’mlaen, doedd dim ots gen i nad oedd gen i frawd na chwaer, na chi na chath. Roedd cael tŷ yn ffrind gystal â’r un. Fi oedd biau bob tamed, a’i gwmni’n ardderchog, achos ro’n i’n gallu siarad efo fo unrhyw bryd, a doedd o byth yn cysgu. Ac os oedd hunllefau’n tarfu, roedd ei waliau’n gafael.

Doedd byw yn y tŷ ddim yn ddigon. O’n i isio bod yn un â’i loriau a’i haenau. O’n i’n chwarae cuddio er mwyn gallu teimlo’i fannau gwan. Corneli cudd, twll dan grisiau, dan ddistiau’r atig. Dod i nabod pob congl er mwyn profi ei gryfder a’i freuder.

Doedd gan neb yr oeddwn i’n eu hadnabod dŷ fel tŷ ni, a siarsiodd Mam a Taid fi i beidio yngan gair. Cyfrinach y teulu, neb arall.

‘Os ddwedi di,’ rhybuddiodd Mam, ‘fydd pawb isio dod yma i weld y lle. Ni pia’r tŷ, a cheith neb arall ddod yn agos yma.’

’Nes i gytuno heb ddadlau. Do’n i’m isio i neb weld y goeden wrth y grisiau na gwên fawr y tŷ. A thaswn i’n canmol wrth blant eraill fod ein tŷ ni’n canu grwndi, mi fasa pawb yn meddwl ’mod i’n dangos fy hun fel Sali efo’r crymbl mwyar duon.

Ac roedd gas gen i bobol oedd yn brolio.

LONA

O'n i'n gwybod ei bod hi damed yn wahanol.

'Mam, ga i fyw yn Coeden-bol-mawr?'

Merch y wlad oedd Meinir bob modfedd. Hapus ei byd yng ngwmpeini coed a chaeau.

Safai'r *quercus robur* foliog yn gadarn wrth ymyl cefn y tŷ, drws nesa i'r goeden rosod. Roedd hi'n gythgam o dderwen; wedi ei lapio mewn mwsogl ac yn frith o epiffytau. Cam, plethiedig, â thwll mawr yn ei chanol. Twll y gellid camu i mewn iddo, a digon o le i eistedd. Roedd Meinir ar ei hapusa yn gorwedd yno ar hen garthen yn sgwrsio efo'r adar a'r chwilod. Er fod y dderwen mes di-goes ben arall yr ardd yn daclusach yr olwg, gwell oedd gan Meinir orffwys yng ngheg yr hen dderwen goesog.

Ar ddiwrnod ei geni mi rwygodd egin coeden bin drwy breniau llawr ei hystafell wely. Sut aflwydd ches i'm sioc Duw a ŵyr ! Ond, ro'n i'n dallt erbyn hynny mai dyma'r drefn i'n teulu ni.

Fel babi roedd yn well ganddi afael mewn brigau na blanced gysur. Dysgodd rifo drwy gyfri mes a moch coed, darllenai risglau'r coed a'r cymylau a chreu cadwyni o goesau dail.

Ac o'n i'n meddwl ar y pryd, pam nad oedd yna help ar gael i famau fel fi? Lle oedd y bydwragedd a'r gwasanaethau cymdeithasol a doedd y llawlyfrau be' i ddisgwyl pan 'da chi'n disgwyl yn dda i ddim.

Lle aflwydd oedd fy nheulu i'm rhoi ar ben ffordd? Roedden nhw'n ddigon parod eu barn am lefrith potel a defnyddio dymi, ond doedd dim cyngor o gwbl ganddyn nhw ar sut i fagu merch oedd yn ffrindiau â choed a blodau.

A'r haf hwnnw, cyn iddi fynd i'r ysgol am y tro cyntaf a finnau'n gwnïo labeli ar bob dilledyn, dyma ei helpu hefyd i naddu ei henw ar y goeden-bol-mawr. Ei choeden hi oedd honno, neb arall, ac roedd angen ei hawlio â label, yn union fel ei chardigan a'i sgidiau ysgol newydd.

Roedd hi'n un ddoeth, a'r athrawon fawr callach am ei ffordd fach hi o fyw. Doedd 'na'm canllawiau, na chyfarfodydd efo'r nyrsys ysgol. Ches i ddim fy nhrochi yn iaith newydd diagnosis y plentyn-gwahanol-od. Y plentyn roedd yn well ganddi chwarae efo canghennau na theganau.

Ac o'n i'n gweddïo weithiau am iddi rolio llai mewn gwair a rhoi'r gorau i guddio mewn boncyffion. Llonyddu rhyw fymryn a gwylio mwy o deledu, fel plant eraill.

TŶ

Dwi'n trio bihafio. Cwffio'r tamprwydd. Dal llechi'n dynn. Go dacia'r craciau! Pensaernïaeth ddigon be-'na-i s'gen i, ac mae'r ardd gefn yn wynebu'r gogledd. Cofiwch chi, dwi'n cyfri 'mendithion a finna'n byw yng nghysgod galeri o goed.

Ces fy nghreu gan seren wib a daenodd sylfeini fel menyn dros ddarn o dir. Doedd y lleuad ddim yn sbio a'r seren yn rhedeg rownd i bob cyfeiriad yn codi waliau a lloriau nes creu tŷ o lwch sêr.

A dwi'n deall amheuaeth yr anghredinwyr, sut all tŷ fod yn fyw? Chi, y rhai sy'n credu mewn Duw ac yn deud wrth blant mai crëyr sy'n danfon babis efo'r post.

Sgwn i fydd fy hanes i i'w glywed mewn hwiangerdd rhyw ddydd? Mewn seiat rownd tân, neu mewn llyfr plant bach? A phobol yn deud: 'Beth am inni glywed stori'r tŷ?'

Dwi'm yn ddwl, fydda i fyth yn gawr sy'n bont. Mwydo mewn meddyliau am flynyddoedd sydd raid, a rhoi amser i'r stori dyfu, ei golchi a'i gosod, a'i setio fel jeli cyn y bydd pobol yn cymryd sylw.

A' i ddim i greu sioe a chrynu'r bylbiau, gwichian, a chrecian. Thâl hynna ddim, a beth bynnag – yr anneallus, ddiddeall sy'n coelio mewn pethau felly.

Ond cofiwch amdana i. Newch chi ? Plîs ? Does unman yn debyg i gartref. Tu ôl i ddrysau caeedig. 'Drycha. Gweddïa. Dilyn ôl dy lais. Rhosod. Coed eirin. Gwsberis. Gardd gefn. Gardd ffrynt. Arwydd yn y blydi ardd. Sticia fo fyny dy dwll din. Meddylia am y pres. Tŷ newydd. Pres gwaed.

Gwair Wimbledon. Caru ti. Caru ti fwy. Pwy sy'n nôl neges? Pinot Grigio 'ta Rioja? Ti 'di ffonio'r cyngor? Newid supplier letric. Nwy yn rhatach efo'r rhain. 'Misio siarad. 'Misio cofio. Maen nhw'n bob man. Dwi'm isio anghofio. Tu ôl i bob drws. Boddi mewn selotep. Fi oedd pia hi. Naci, Ni. Amser symud 'mlaen. Lle ma'r di-caff?

Ylwch, 'dan ni – gartrefi Cymru – wedi sugno'ch brawddegau ar hyd y bedlan yn y Boathouse yn Yr Hendre yn Nhy'n y Braich Lleifior Tŷ Mawr Sarn-y-Plas Min-y-môr Tan Ceris Cilgwyn Chwibren-isaf Dolgoy Fach Fferm Pen Rhiw 19 Alice Street Bodiwan Madog View Tŷ'r Ysgol Tŷ Uchaf Pantycelyn Yr Ysgwrn 32 Charles Street Brynawelon Dolwar Fach Y Goedwig Plas Clough . . . Hoeliodd y Gwyddelod sachau ar waliau'r tŷ. Dio'm ots. Yndi, mae ots. Gwlad y chwedlau. Castell pawb ei dŷ. Tail rwtsh. Gweithred gwell na gair. Pob cyfle ddaw.

Alwyn bach annwyl,
Fy Alwyn bach i;
Fi pia Alwyn,
Ac Alwyn pia fi.

Thâl hi ddim i aros yn y cysgodion, taenwch liain dros ddrych y pentan, ma' gwydr yn tynnu mellt i'r tŷ. Ella mai rhoi tro ar ddrysau clep, chwythu bylbiau, rhwygo plastar, blocio draeniau ydi'r unig ateb. Mi weithiodd yn Ysbyty Dinbych, Castell Coch, Plas Newydd, Nanteos, Llancaiach Fawr.

Oes rhaid bod yn gastell neu blasty i gael sylw dyddiau yma?

Pacio . . .

Pacio . . .

LONA

Ni – Y cwpwl Netflix. Y ddeuawd Candelas wrth goginio. Y chwarae cardiau bob nos Sul. Ni – yr oglau croen cyn cysgu.

Yn dal i ddarganfod sut roeddem yn perthyn.

Cariad sicr ond â graean hefyd.

Gwyddem ein bod yn lwcus i fod fel oedden ni. Yn licio'r mân gweryla, a'r chwarae'n wirion tecsts 'nôl a blaen.

Tynnu coes, tynnu'n groes.

Yn ei chanol hi o hyd, ond yn gwybod, er gwaetha'r blerwch, ein bod mor ffodus o gael ein gilydd.

Ond mi roedd gwerthu'r tŷ i'w ddymchwel a'r symud i fyw yn creu hollt, a'r anghytuno'n ddiarth. Roedd gadael yn haws i mi, am nad ydw i'n siŵr iawn lle mae 'adref'. Weithiau roedd o'n dŷ mam a dad, neu'r dref lle ges i fy magu. Hafau hirfelyn efo Nain a Taid. Coleg ella. Cynefin mewn atgofion, nid adeiladau.

Ond mi dorrodd tŷ Alwyn fy nghalon. Mi dynnodd bob tamed o 'nhu mewn a'i chwydu dros y lle. Gorfod gweld y coed bob munud – y wernen a'r aethnen. A choeden bin Meinir yn dal ei thir dan y lloriau yn ei llofft.

Methu diodde'r lle. Methu diodde bod hebddi.

A chydag Alwyn yn mulo a finnau'n pwyso i adael, fi o'r herwydd gafodd brif ran y mudo. Pensaer y pacio, ymgymerwr y biliau treth, dŵr a thrydan, fforman y bocsys, y *bubble wrap* a'r blydi selotep.

TŶ

#modernhome

#interior123

#interiorforinspo

Pacio bocsys a chael gwared â nialwch, mae Lona fel tasa hi wedi symud i fyw yn barod.

Yn chwilio byth a beunydd am syniadau ar gyfer y tŷ newydd ar Instagram ac mewn cylchgronau tai.

A dwi wrth fy modd â'r tudalennau sgleiniog a gweld holl dai hardd y byd a'r bobol sydd wedi eu creu nhw.

Ond yn wahanol i Lona, dim ond edrych dwi.

ALWYN

Any costs above and beyond original
agreed cost
will be submitted in writing
by contractor
and approved by client prior to completion.

Mae 'nghyflog i'n uwch na'i un hi; ac er 'mod i isio rhannu'r dorth yn deg, roedd hi'n mynnu cael cyfrifon banc ar wahân. Fel'na, câi wario fel yr oedd hi isio – neu i mi beidio sylwi. Ella.

Ambell dro, dwi'n llenwi tanc petrol ei char, heb iddi ddallt. Mae hi'n cogio bod yn flin, a wedyn, ma' hi fel cath isio chwaneg o fwythau. Fel tasa hi ddim yn gweld cymaint o fai arna i am bethau bach. A finnau'n licio anwes, achos does 'na'm amser i bethau felly. Neu, dwi wedi rhoi'r gorau i drio.

Dim disgwyliadau. Dim siom.

A dwi'm yn gwybod be i'w wneud i'w phlesio hi. Ddim yn dallt pam ei bod hi isio bod mor annibynnol. Pam ei bod hi isio gadael a Meinir dal yna. Ac mae arna i ofn ei cholli hi.

Achos dwi'n tueddu i golli pobol.

TŶ

Dwi'n ei chofio hi'n smalio dallt mwy nag oedd hi go iawn, nes deud un diwrnod, 'Gad bethau fod, Alwyn, dydi tai ddim yn fyw go iawn.'

'Ydyn,' medda fo. 'Dim bob un, ond ma' hwn.'

Ffwrdd â nhw wedyn, am y gwaith, peintio llun, nôl neges neu be bynnag roedden nhw'n ei wneud 'radeg hynny.

Ambell ddiwrnod, dwi'n gwylio'r ddau ac yn sylweddoli mai'r pethau bach maen nhw'n wneud sy'n gwneud i mi wirioni.

Dadlau dros ba un gâi dorri caead ffoil y jar coffi â llwy de. Y fo yn bywiogi drwyddo wrth ogleuo col-tar yn y glaw. Hi'n methu gadael un ffeuen fach ar waelod sosban, rhag ofn i weddill y ffa-pob hiraethu. Alwyn wedyn yn ei chyhuddo hi o fod yn rhy sentimental.

Fo o bawb!

LONA

Mae gan bob tŷ wyneb, medda Alwyn. Llygaid,
trwyn a thalcen. Gwên a gwg.

Ro'n i isio, ac wedi trio coelio er ei fwyn o.

Ond, wedi chwilio am ll'gadau a gwefusau,
y cwbl wela i ydi

pebble dash a ffenestri.

ALWYN

Yng nghornel yr ystafell athrawon, yn gaeth i'r sgrin fach ar lin, sgrolio a chraffu ar y cytundeb eto.

Demolition is
agreed to begin on
[Agreement. Date].

Sut ma' pethe efo'r tŷ? holodd un athrawes.

Dynes neis iawn a chanddi radd Meistr, mae'n siŵr, mewn *Mindfulness*. Daeth ysfa drosta i i ddeud wrthi am fynd i'r diawl ac i daflu'i Earl Grey dros ei gwallt. Ond o'n i'm isio gwneud rhagor o sôn amdanaf ar ôl helynt yr uwd.

The site will be cleared of all
debris no later than
[Completion. Date]
unless prior written agreement
between both parties exists.

Dal i ddarllen a difaru. Fel 'tai'r cwbl yn mynd i ganlyn y gwynt taswn i'n ailddarllen yr amodau ddigon o weithiau. A chan fod y ddogfen yng nghrombil y ffôn, o'n i'n gallu ei gweld pryd bynnag oedd awydd. Yn y dosbarth, archfarchnad, gwely, lle chwech. A chwyddo rhannau allweddol rhwng fy mawd a'm mysedd fel oedd Lona yn ei wneud â lluniau'r ffôn, i gyfri crychau'i thalcen.

O ran y cytundeb i werthu – ni oedd yn cael y fargen orau, medden nhw. Pres i lenwi sawl cyfrif banc a digon i brynu 'adref' newydd. Ac oedd gen i ofn eu bod nhw'n iawn, a'r dagrau dirybudd yn mygu. Sâl car rownd y ril, am 'mod i wedi anghofio sut i fod yn wrol, wedi anghofio sut i brotestio. Anghofio sut i gofio. Achos weithiau roeddwn i'n anghofio'r cwbl a changhennau'r ardd gefn yn codi bawd, finnau'n saliwtio'n ôl, nes cofio am y blydi arwydd yn yr ardd ffrynt.

Fysa Jiwdas Iscariot yn enw gwell i mi nag Alwyn.

Wnes i lwyddo i stopio'n hun rhag gafael yng nghwpan de yr athrawes ffeind, a dal yn ôl hefyd rhag rhwygo taflenni *Dyfodol Donaldson* oedd ar y bwrdd. Cwricwlwm a chartref newydd. Roedd hi wedi canu arna i.

Pethe'n ôl reit efo'r tŷ? holodd hi eto.

Grêt, diolch, atebais gan godi fy mhen o'r ffôn.

Lona a fi'n edrych ymlaen yn arw i symud. Fedrwn ni'm disgwyl!

LONA

Daeth hen freuddwydion cas i anesmwytho. Meinir yn lapio holl goed y tŷ a'r ardd mewn selotep a finnau'n methu'n glir â'i chyrraedd. Alwyn a fi'n byw mewn bocsys cardbord a phobol yn pasio heibio yn taflu llestri, dillad a siwtcesys a phethau felly dros y lle.

Od ar y naw, oedd ymateb Alwyn.

Hynod od, meddwn. Llawer odiach na choed yn tyfu o loriau tŷ, a byw 'fo dyn sy'n meddwl fod gan waliau deimladau.

'Sdim angen bod fel'na, atebodd o'n drist. Fo oedd yn iawn, doedd rhoi hergwd eiriol i ŵr yn ei wendid ddim yn neis. Ond o'n i yn fy ngwendid hefyd, dim ond 'mod i'n ei guddio'n well. A dyma symud fy stondin i'r sied am lonydd.

I weithio, i greu,   i   anadlu.

Gweithdy ydi o, nid sied, deud y gwir. A dwn i'm pam 'dan ni'n ei alw fo'n sied achos mae o wir fel tŷ. Ond yn llai.

Tu fewn mae 'na soffa sy'n troi'n wely, sinc a thegell. Llwyd ond llawen ydi'r thema. Dodrefn pren, nid plastig. Un ffenest, a gormod o ganhwyllau.

Wrth ailwampio'r lle, mi gafodd y peintiwr haint am 'mod i wedi dewis lliwiau mor dywyll i le mor fach. Mor groes i'r *brilliant white* arferol. Ond wrth i'r dydd newid ei liw, mae lliwiau'r waliau'n newid hefyd, a finnau'n caru'r ddrama rhwng y düwch a'r golau.

Mae Alwyn yn fy ngalw i'n artist, ond dwi ddim.

Dwi'n ennill fy nhamaid drwy siapio brawddegau a harddu llythrennau. Fel trin gwallt ond efo geiriau, nid blew.

Llunio labeli a ballu. Posteri, poteli cwrw, taflenni meddygol, bwydlenni, bocsys siocled, unrhyw bapur neu gardfwrdd sydd â llythrennau, patrwm neu lun.

Dylunydd graffeg – 'arwyr anweledig y byd marchnata'. A chan nad oes gen i frwsh paent tu ôl i glust, cha i fyth yr un statws ag arlunydd llun mewn ffrâm.

I mi, llythrennau sy'n gelf. Iaith unigryw'r ffontiau. Cynffonnau, seriffau a'r *italig* yn dolennu dros bapur.

Arial. Times New Roman. Calibri. Baskerville.
Lucida. CourierNew. **Rockwell Nova**.

Iaith leiafrifol y campweithiau tawel.

Dwi'n gweithio o adra ers blynyddoedd, ymhell cyn iddo fod yn ffasiynol. O'r sied os am fod yn bedantig. Gwaith llawrydd i gwmnïau sy'n talu'n dda ond yn rhy achlysurol.

Weithiau, os ydi Alwyn fel iâr ar y glaw, dwi'n mynd o'r golwg i'r sied i gael tawelwch i bwdu. Teipio 'coc oen' a geiriau fel 'cythral' a 'llygoden eglwys' mewn gwahanol ffontiau. A'r chwarae efo'r geiriau ar y sgrin yn sianelu'r dig yn well na chau drws yn glep neu beidio siarad.

Ac wedyn, dwi'n difaru achos mae ei gariad o'n gallu bod yn ysgubol. A dwi'n pwyso'r botwm dileu ganwaith i wneud yn siŵr fod y llythrennau cas yn diflannu'n llwyr. A braf tasa gan y meddwl fotwm *delete* cystal.

Roedd arna i ofn i Alwyn gael llond bol ohona i, ac ofn ei gadw fo'n rhy hir, achos nid fi oedd pia fo. Fo sy' pia ei hun, ac ella, yn y pen draw, mi ddewisith y tŷ a'r coed o 'mlaen i, a chanslo'r cytundeb i adael. Am fy mod i'n hen het wirion, a'r busnes gwerthu tŷ yn pigo'r gramen.

Mewn chwarter canrif o briodas, prin oedd y ffraeo. Cwyno pam nad oedd y llall wedi gosod rholyn tŷ bach ar y bachyn y ffordd gywir, neu pa liw gwin i'w gael efo'r bwyd. Dyna oedd yr unig anghydweld, fel arfer.

'Ni'– Y *caru ti* cyn pob ffarwél. Ffrindiau. Cariadon.

Jean McGurk a Glan. Barack a Michelle. Butler a Ponsonby. Sandra a George. *Copy and paste.*

ALWYN

Faciwî ydi Chris. Mae o wedi gorfod gadael ei gartref . . .

. . . a 'dan ni'n cael digon o fwyd, a ma' Kate a fi yn rhannu gwely ond 'dio ddim fel adre.

Dwi ddim yn siŵr pam bo' ni wedi gorfod gadael. Ddudodd Dad bod Lerpwl yn beryg . . .

Marcio'r dyddiaduron.
Beiro goch.
Fawr o fynedd.

Faciwî ydi ~~Chris~~. Alwyn Mae o wedi gorfod gadael ei gartref. Tydi o ddim isio gadael

. . . a 'dan ni'n cael digon o fwyd, a ma' ~~Kate~~ ~~Alwyn~~ Lona a fi yn rhannu gwely ond fydd y tŷ lego '~~dio~~ ddim fel adre . . .

TŶ

Bwrdd i un?

Croeso i fy mharti piti.

Stafell dywyll a chofio'r dyddiau da,

dyna'r cwbl wna i heddiw.

A thrio byw eto – fory.

ALWYN

Ti'n iawn? holodd y Pennaeth yn syllu ar y dyddiaduron faciwî.

Di-fai, meddwn, â'r marciau coch yn frith.

Croeso i ti adael, i gael gorffwys?

Dim diolch. Popeth yn ei le.

(Gnawes! Ms Mindfulness-Earl-Grey wedi achwyn debyg iawn.)

TŶ

Y drwg efo chwedl ydi fod rhywun ar dân isio darganfod y diweddglo, ac eto ddim isio i'r stori ddod i ben. Chwedl hithau . . . Chwedl yntau . . . a'r stori'n amrywio, gan ddibynnu pwy sy'n rhannu'r briwsion.

ALWYN

Ti'n iawn? holodd y Pennaeth yn syllu ar y dyddiaduron faciwî.

Go lew, meddwn, â'r marciau coch yn frith.

Croeso i ti adael, i gael gorffwys?

Ia plis. Teimlo braidd yn ddi-hwyl.

(Gwyn ei byd, Ms Mindfulness-Earl-Grey am sylwi nad o'n i yn fy mhethau.

LONA

Mi gafodd Alwyn ei hel adref o'i waith.

Ddeudes i nad oedd o ffit i fod yno.

ALWYN

'Paid â chreu helynt. Gollwng y morthwyl,' erfyniodd Lona.

'Dim ffiars.' (Ceisio cael gwared ar y ffilm yn fy meddwl, ohona i'n jolihoetio rownd y pentref yn taro'r cymdogion â morthwyl. Afon o waed yn llifo lawr allt. Torflofruddiaethau Cefn Gwlad.)

'Gad iddyn nhw. Maen nhw'n gorfod mesur y tir. Mewn llai na mis, nhw fydd y perchnogion. Dydi dy deimladau di na fy rhai i ddim yn bwysig.'

'Nadi mwn!'

Y ddau ohonom ar riniog y drws cefn. Finnau newydd gipio morthwyl o ddwylo'r boi oedd yn cnocio ffyn plastig i'r pridd. Gwasgais y carn metal a'i chwifio fel baner.

'Ty'd yma, Al.' Anwesodd Lona waelod fy nghefn. Llaciais fy ngafael ar y morthwyl a'i osod ar gledr ei llaw.

'Sut allen nhw landio yma mor handi efo'u tŵls a'u harfau? Cyn oeri'r gwaed.'

'Gwerthu tŷ ydan ni, Alwyn, nid mynd i ryfel.'

Eisteddai'r boi morthwyl ar wal gerrig ar waelod yr ardd. Roedd o'n syllu yn ei flaen, ac ar bigau fel tasa fo'n ysu am ffeit. Finnau'n tanio bwledi llygaid ato fo.

'Sgotwyr tir! Dyna ydach chi. Hidio'r un botwm am y

tŷ na ni. 'Mond y diawl cae!' Cymraeg bob gair achos do'n i'm yn gallu gwylltio cystal yn Saesneg.

'Stopia, Alwyn. Ti'n gwneud ffŵl ohonot dy hun.'

Cerddodd Lona gan bwyll at y dyn a chynnig y morthwyl yn ôl. Ei chadernid mewn creisus yn fy synnu unwaith eto.

Canodd ffôn y boi cyn iddi gael cyfle i ymddiheuro. Ac i ffwrdd â fo, yn codi sbîd gan bwyntio at y cae a rhythu arna i bob yn ail. Fo a'i fêt ben arall y lein yn trafod castiau'r dyn gwyllt o'r coed a'i forthwyl. Oni'n gweld fy nghwymp yn dod. Tynnodd y diawl dâp mesur o boced ei jîns a bwrw ati i fesur y wal.

Roedd y cwmni adeiladu wedi prynu'r cae ers tro, a chael caniatâd cynllunio'n eithaf didrafferth fel rhan o gynllun datblygu lleol y cyngor. Ond doedd y cae yn dda i ddim iddyn nhw heb tŷ ni. Achos er mwyn adeiladu'r tai newydd, rhaid oedd cael mynediad call i breswylwyr. A'r unig le addas a digon llydan oedd y tir dan y tŷ.

Am fod y cae yn lle mor anodd mynd ato, lluniwyd sawl cynllun i fynd i'r afael â'r broblem mynediad, ond dymchwel y tŷ oedd yr ateb yn y diwedd. Nid y dewis rhataf iddyn nhw fel cwmni, ond y datrysiad oedd yn rhoi rhwydd hynt i fwrw 'mlaen â'r gwaith o greu *Wisteria Court, Begonia Drive* neu *Castle View* ddiawl.

'Ti'n mwynhau chwalu pethe?' gwaeddais.

Rhoddodd y boi ei ffôn yn ôl ym mhoced ei grys. 'Pric,' poerodd ar y gwair.

'A fi'n bric pwdin i chi i gyd!'

Wedi myllio, es at Lona.

Ac wrth fulo'n dawel wrth gadeiriau'r patio, mi ddois i gytuno â'r pen bach. Ro'n i yn lob. Achos roedd isio berwi 'mhen i am gytuno i werthu'r tŷ yn y lle cyntaf.

Canodd ffôn y boi morthwyl eto. Yntau'n cael trafferth ei dynnu o'i boced wrth fesur y wal 'run pryd. Ac felly, gawson ni bennill neu ddau o 'Bohemian Rhapsody' cyn iddo fo roi cyfarwyddiadau-ffendio-ffordd ddigon trwsgl i bwy bynnag oedd yn holi. Ac am eiliad mi ro'n i'n teimlo ei boen o, achos dydi'm yn hawdd egluro wrth yrwyr y faniau-ar-wib lle mae'r tŷ. Mi fasa yn haws iddyn nhw ddod o hyd i'r lleuad weithiau.

Erbyn hyn, roedd Lona wedi gadael y patio a cherdded at y boi.

'Would you like a cup of tea?'

'That would be lovely. Thank you,' atebodd, a'i phitïo am fod ganddi hi ŵr mor ofnadwy, mae'n siŵr. 'But have you got plenty of cups? There's quite a lot of us!' chwarddodd yn glên gan godi llaw ar griw o weithwyr oedd newydd gyrraedd mewn dwy fan arall.

'Dim trafferth,' meddai Lona a throi i gyfeiriad y gegin.

O fewn dim, roedd yr ardd yn gwch gwenyn o gontractwyr yn bodio *clipboards* a mesur waliau. Helmedi melyn ym mhob man yn cŵan a phwyntio i gyfeiriad y caeau, yn gwirioni wrth feddwl am y tai brics coch oedd ar fin cael eu geni yno. A finnau bron marw isio gweiddi arnyn nhw i stopio. Stopiwch chwalu 'mywyd i. O'n i isio crio. O'n i isio eu hel nhw am adra. O'n i'n barod i fartsio atyn nhw a gweiddi 'Heglwch chi o'ma!'

Ond be 'nes i? Helpu Lona. Tollti'r llaeth a gweini'r siwgr fel weitar eiddgar o gwmpas y lle. Dal wyneb a holi ambell un,

'How's it going?'

TŶ

Gen i stori dda, chwedl.

Un tro . . .

mewn gwlad bell i ffwrdd . . .

trigai hen ddiawl o ddyn.

Alwyn

oedd

ei

enw.

Y Diwedd . . .

LONA

Roedd gwaith i'w orffen, pamffledi brechiadau ffliw i gwmni fferyllol, a doedd gen i fawr o fynedd bwrw iddi â holl sŵn y gweithwyr tu allan. Felly, agor dalen wag a gadael i'r llygoden fach chwarae gemau.

Penderfynu rhestru enwau tai'r clwt o bentre 'ma a'u gwisgo mewn dillad gwahanol.

Awel y Grug,
Llain-yr-Ardd,
Drewen,
AWELFOR,
Porthdy Mawr,
Bodhyfryd,
GLAN GORS,
Heather Breeze,
Garden Patch,
Whitetown,
Seabreeze,
Grand Lodge,
Pleasant Place,
MARSH BANK

O'n i'n mynd i hwyl. Gêm ddifyr.

Difyrrach o lawer na gwaith go iawn.

ALWYN

Dad, pam fod dy hen hen hen hen hen hen daid di wedi tyfu coeden mewn tŷ?

Am fod y goeden wedi ei geni cyn y tŷ. A fynta'n credu fod gan y goeden hawl i fyw gymaint â phawb arall.

Pam fod pobol yn meddwl eu bod nhw'n well na natur?

Dwn i'm, am fod gan bobol fwy o feddwl ohonyn nhw'u hunain, mae'n siŵr.

Oedd o'n byw mewn coed?

Nag oedd.

Be sy'n bod, Meinir? Ma' 'na olwg be-'na-i arnat ti.

'Sna'm llawer o amser ar ôl, Dad.

Lle ti'n mynd?

Tyd efo fi, Dad. I wnïo'r gwair. A phwytho Coeden-bol-mawr yn sownd i'r pridd.

TŶ

Mi dreuliodd Meinir oriau yn tsecio os oedd y coed wedi clymu i'r tir. A finnna'n ysu isio gweiddi arni i gymryd pwyll. Ei rhybuddio fod hyn wedi digwydd o'r blaen. Sawl tro. Ond, ro'ni wedi bod ar y ddaear 'ma yn ddigon hir i wybod nad oedd tai yn medru gweiddi. Taswn i wedi bloeddio nerth fy walia' doedd na'm gobaith iddi fy nghlywed i.

Cwbl allwn i wneud oedd eistedd yn yr haul a gadael y gwaith i eraill.

LONA

Ma' gas gen i luniau.

'Nenwedig y rhai sy'n pendilio rhwng atgofion. Dwi'n loetran braidd. Mynd o stafell i stafell.

Mae'n dŷ digon del. Digon cyffredin o ran siâp. Dwy stafell yn y blaen, cegin yn y cefn. Tair llofft, ystafell ymolchi, atig a seler fach. Tŷ bach twt i dri. I ddau.

Roedd y gegin pan ddois i yma gynta yn gul ac yn dywyll. Llyncai un ffenest fach holl olau'r dydd, a ninnau'n methu gweld yr ardd ond wrth olchi llestri. Ar ôl fy swnian, mi gafodd Alwyn ei ddarbwyllo fod angen estyniad, ac mi gawson ni hafan hyfryd. Un oedd yn lapio rownd cefn ac ochr y tŷ. Fy hoff le i, am mai fi oedd wedi ei greu, mae'n siŵr. Ges i osod lloriau pren fyny grisiau, ond ddim cnocio waliau na pheintio'r trawstiau. Gwae unrhyw newid fydda'n styrbio'r coed!

Mae'r *Populus tremula* sy'n y parlwr yn hoffi cael ei galw wrth ei henw llawn, a chryndod ei dail yn fy synnu wrth ei phasio, fel tasa rhyw ias yn mynd drwyddi. Rhyfedd meddwl am goeden yn cael ias o achos pobol, ond mae hithau'n teimlo a synhwyro llawn cystal â phobol; dim ond ei bod hi'n cyfathrebu heb eiriau. Mae hi'n werth y byd, a dwi'n dotio gweld yr haul yn goleuo gwythiennau'r dail. Ond 'sa dda gen i tasa Alwyn heb hongian hen luniau o'i deulu drosti. Arna i oedd y bai yn rhoi ordors iddo fo gael trefn ar bethau cyn inni adael.

Du a gwyn. Sepia. Pobol ganol oed hen hen. A babis debyg i ysbrydion.

Soldiwrs, capiau les a watshys cadwyn.

Codi croen gŵydd.

Er 'mod i'n tynnu lluniau ar bapur neu sgrin bob dydd bron, dw i methu edrych ar unrhyw ffotograff teuluol ers saith mlynedd. Heblaw am un.

Llun Meinir ar y silff ben tân. Alwyn fynnodd ei roi o yna, a finnau'n methu ymlacio yn y stafell fyw o'r herwydd, felly dyna pam dwi'n ffafrio'r gegin. Fedra i'm dioddef ei gweld hi'n byw mewn ffrâm yn hytrach nag yn byw efo ni.

'Sgen ti lun ohoni?' gofynna ambell ffrind, gan drio helpu wrth sôn amdani. Ac maen nhw'n synnu pan dwi'n deud nad oes. Fel tasan nhw wedi meddwl, am ei bod hi wedi marw, 'mod i'n cario llyfr lloffion amdani yn fy mag, a chroes wylofain ac angel boced. Ac wn i ddim a ydyn nhw gwybod be i'w wneud wedyn, achos be all rhywun ei ddweud wrth fam nad oedd yn cario llun o'i phlentyn, a nhwytha'n meddwl mai dyna oedd mamau wedi colli plant i fod i'w wneud?

Un o'r pethau anodda ydi'r anghofio. Ei harogl, llais, cyffyrddiad ei llaw a tydi lluniau, i mi, yn dda i ddim. Maen nhw'n fud a diarogl, yn un sgam mawr sy'n twyllo rhieni galar. Sgwariau emwlsiwn gelatin bach o glorin, bromin ac ïodin sy'n rhwbio'r halen yn ddyfnach i'r briw.

Mae Alwyn fel arall. Mae ganddo lwythi o luniau, cannoedd os nad miloedd o Meinir a'i deulu o. Ac os bydda fo mewn hwyliau hel atgofion, câi ei hel i'r atig. Fanno mae'r bocsys llawn dop o ffotograffau a cherrig milltir. Fedra i ddim mynd ar eu cyfyl.

A dwi'n mygu yn meddwl amdanyn nhw. A dwi'n
flin efo Alwyn am sortio'r lluniau, a dwi'n methu
cael fy ngwynt   yn   iawn
eto   dwi'n   trio canolbwyntio ar anadlu ac yn
ymdrechu i gymryd anadl   ddofn
    a sbio ar y gorwel   fel ddeudodd   y doctor
a dwi'n dylyfu gên   achos 'mod i wedi ffeindio fod
hynny'n helpu i lacio'r ysgyfaint pan nad oes gen
i wynt ar ôl mae'ranadlynrwlagwythiennau'ndali
bwmpio ond dwi'n mygu ar 'y nhraed
a   rhywsut   dio'm ots
achos   dwi 'di hen arfer   a dwi'n gallu
siaradabwytaadreifioasiopaagweithioadarllenagolchia
garddioagwrandoachwerthin   er   'mod i'n
        methu   anadlu
            yn
                iawn.
A dwi'n ôl reit, achos wedi dal fy ngwynt
    am saith mlynedd,
        siawns y medra i ei ddal
            am ychydig o flynyddoedd
                eto.

ALWYN

Dau o'r gloch y bore, ti wir yn awr ddrygionus. Ti isio chwarae mig eto does? A 'dan ni'n ffrindiau gorau. Bob nos mae'n cyrraedd â chân ei hadar yn fy nhynnu ati.

Ymlaen â ni drwy'r niwl ar geffyl gwyn. Dal sêr fesul un. Hithau'n chwifio'i bys dim-siw-na-miw, a'i geiriau'n cosi 'nghlustiau. *Suo'r byw i gysgu.*

A tydi'm yn cadw at ei gair i fod yn ôl o fewn awr. Achos tydi'm yn hawdd dal yr holl sêr achos mae'r awyr yn dyllau mân. Yn fantell garpiog uwch y caeau.

Tynnai fy llawes efo'r wawr. Isio chwarae eto. Digywilydd ydi dau o'r gloch. A thri. A phedwar.

Gin i bechod dros y rhai sy'n eu nabod nhw cystal â fi.

LONA AC ALWYN

Deigryn o laeth yn ei lygad o, Kit Kat a chwstard crîms ar blât. Ro'n i'n licio paned ar y patio. Gafael yn y mẁg â'm dwy law, a'r bodiau'n croesi drwy'r glust. Edmygu'r caeau ac ambell wiwer, a'r hin yn gynnes.

Braf, ond angen-cardigan-math-o-dywydd.

Un dda ydi Lona am wneud coffi. Dim gormod o laeth ond digon o liw. Tynnodd frigyn o'r goeden rosod at ei thrwyn. Ei llygaid yn pefrio a chau am yn ail fel tasa hi uwchben sosban o gawl yn ogleuo'i ddaioni.

Torrodd goesyn ac eistedd yn ei hôl. Er bod yr awel yn gynnes roedd ganddi hi groen gŵydd dros waelod ei breichiau. 'Sa hon yn rhynnu mewn anialwch!

Braf oedd eistedd efo'n gilydd a neb arall rownd y lle'n mesur hyn a'r llall.

Fel fi, doedd Alwyn heb gysgu'n iawn ers wythnosau. Mi gafodd goblyn o hunllef neithiwr, medda fo, ac mi roddodd bennod ac adnod i mi ohoni.

O'n i'n difaru holi.

Doedd gen i fawr o awydd ailadrodd digwyddiadau'r hunllef i fod yn onest. Rhag ofn iddi feddwl 'mod i isio sylw, a finnau wedi bod yn reit be-'na-i ynglŷn â'i breuddwydion hi'n ddiweddar. Ond roedd Lona'n mynnu.

Doedd o ddim y gorau am gadw stori hir yn fyr, ac roedd hon yn epig. Stori rownd Sir Fôn ddwywaith.

Sôn oedd o am goelcerth, a fynta'n rhedeg rownd y pentref yn torri coed a phob blodyn a pherth o fewn golwg efo siswrn anferth. A thorri pobol.

Seis car oedd o. Y siswrn.

Cododd ofn arna i braidd. Yr holl ddisgrifiadau o dorri pennau a pha mor syml oedd y cwbl. Reit debyg i'r broses o dorri blodau efo *secateurs* fel y gwna'r bobol dros ffordd, medda fo. Cododd, a gwneud siâp siswrn mawr efo'i freichiau. O'dd o'n edrych fel tasa fo'n ceisio rheoli awyrennau ar lwybr glanio.

Er yr olwg amheus, roedd hi'n dal i holi. Felly 'nes i egluro'r freuddwyd yn ei chyfanrwydd. Y cymdogion oedd ar fai. Roeddan nhw wedi tynnu pob arwydd ffordd Cymraeg ac enwau tai o'u gwreiddiau, a'u gosod mewn coelcerth oer yng ngwaelod cae cefn. Hwythau wedyn yn dawnsio o'i chwmpas yn yfed Moët a chanu 'Rule Britannia'.

Yn fy nhymer mi ymddangosodd y siswrn. A'r coed a ballu'n disgyn ag un tociad am ei fod o mor fawr a miniog.

Stopia wenu, ddeudodd hi. Ond do'n i'm yn gwenu.

Ella 'mod i'n mwynhau'r stori rhyw fymryn yn ormod, achos o'n i'n meddwl 'mod i mewn ffilm, deud y gwir.

Erbyn i'r lladdfa ddod i ben, doedd dim pentref, a dim Cymraeg yn ôl Alwyn. Dim ond twll mawr a gwraidd ambell goeden. Roedd ganddo hen wên od wrth adrodd, a'r gyflafan yn swnio mor hawdd.

Cyn hawsed â thorri pecyn *boil-in-the-bag*.

Wnes i awgrymu y dylai o fynd i weld rhywun.

I siarad.

O'n i'n difaru siarad. Mae breuddwydion pobol erill yn ddiflas.

Mi dorrodd ei geiriau at yr asgwrn. Roedd hi isio imi fynd i weld therapydd. Mae gan bawb un dyddiau yma, medda hi. Unwaith eto – Alwyn wirion, Lona synhwyrol. Bob. Un. Tro.

Drycin am dipyn oedd hi, a dyma ni'n gafael llaw a gafael yn y rhosyn oedd ar y bwrdd. Oglau'r nefoedd.

Mae pobol yn deud weithiau eu bod nhw isio potelu arogl, dydyn? Rhwbiais y rhosyn coch o dan fy ffroenau a newid cyfeiriad y sgwrs. A thaswn i'n cael dewis, 'swn i'n gwasgu pob diferyn o'r rhosyn yma a'u rhoi mewn potel sent.

Roedd ganddi hi andros o feddwl o'r goeden rosod. Ac mi fasa Taid wrth ei fodd efo hynny.

Roedd Lona mor dlws. O'n i'n dal i wirioni ar ei llygaid, ei bochau, a'i gwallt. Ei thrwyn, ei sgwyddau. Ond yn fwy na dim, tlysni ei meddwl, am ei bod hi wastad yn trio gwneud pobol eraill yn hapus er ei bod hi'n drist. A do'n i'm isio mynd i ffraeo ynghylch y freuddwyd.

Be am smalio bod yn berchnogion ffatri gwneud oglau, awgrymais. Dewis arogleuon i'w cynhyrchu yno, ac wedyn dyfalu pa oglau werthai orau.

Petrol. Coffi. Gwair. Clorin, atebodd hi.

Hen lyfrau. Llyfrau newydd. Glaw ar dir sych. Twrci Dolig. Tanio matsien. Croen babi, meddwn i.

Croen babi. O bob dewis, mi ddewisodd o ddeud hynny. Doedd ’na ddim oglau hyfrytach ar wyneb daear na chorun babi.

Talcen Meinir. Dwi’n cofio cael ysfa dro ar ôl tro i fwyta’r oglau, tasa ’na fodd gwneud ffasiwn beth.

Dyfriodd ei llygaid. Trodd ei phen a dechrau rhwbio’i dwylo. Dyna a wna wrth ypsetio. Gwasgu’r migyrnau yn galed rhwng bys a bawd i drio stopio’r dagrau.

O’dd Mam yn gallu arogli tai pobol eraill, ond nid ei thŷ ei hun, meddwn, yn trio torri’r garw.

Dwi’n medru ogleuo tai pobol ar eu dillad nhw, medda hi.

Fel plantos ’rysgol yn nabod eu siwmperi eu hunain o’r fasged eiddo coll, wrth sniffian oglau powdwr golchi adra. Alli di ogleuo tŷ ni?

Weithiau. Ond, wn i ddim os ’di o’r un arogl â be fasa pobol erill yn ei glywed, cofia.

Dwi’n nabod dy oglau di, reit siŵr. A dyma fi’n pinsio ei boch yn chwareus.

Mi geisiodd o newid y pwnc trafod, chwarae teg.

Ond ro’n i’n sownd fy myd mewn croen babi.

Meinir.

Diflannodd yr arogl babi wrth iddi hi ennill modfeddi, a gwneud lle i oglau newydd all neb ond mam ei glywed. Ei adnabod ym mhig y frân. Mewn gorchudd gwely. Ar ddillad. Ar frwsh gwallt.

Oglau sydd ar goll, a dim gobaith ei gadw mewn potel.

Cododd o'i chadair a phwyntio at y to. Mae'r lle 'ma'n llyncu pres, meddai. Wrth symud o 'ma gawn ni wario arnon ni'n hunain am newid. Yn lle'i wastraffu ar ffenestri ac ail-doi.

Taflais olwg ar y to. Gwyddwn ei bod hi'n iawn, ond 'misio trafod.

Miliwn o bunnau oedd cynnig y cwmni adeiladu a tydi'r tŷ ddim yn werth hanner hynny. A Lona wedi gweld tŷ newydd sbon yn y dre i ni. Tŷ brics coch twt efo garej, a gardd fel Wimbledon bychan.

Ti'n gysetlyd – methais ddal 'y ngeiriau'n ôl. Da o beth fyddai i ti beidio byw mor fain.

Does gen i'm gymaint â hynny o gynilion, ddeudodd o.

Mwy na fi.

Pres ni'n dau.

Dy bres di sy' yn y banc. Sut fedra i ei wario, a 'nghyfraniad i cyn lleied?

Roedd pres wedi mynd yn dipyn o obsesiwn ganddi. Ychydig wythnosau yn ôl, mi luniodd *spreadsheets* ar gefn hen focsys Fruit and Fibre a'u gosod ar wal y gegin. A'r artist ynddi'n cael modd i fyw, yn creu graffiau proffwydo ariannol â phensiliau lliw.

Roedd hi'n od 'mod i wedi priodi stocbrocer mwya sydyn. A'i darogan oedd y baswn i'n gorfod gweithio am o leia ugain mlynedd i ennill swm cyfatebol i gynnig y cwmni adeiladu. A finnau'n troi'r tu min, er tegwch i mi fy hun, gan ddeud, ella 'mod i *isio* gweithio am ugain mlynedd arall. 'Sa gas gen i ymddeol.

O'dd o wedi neud ei syms hefyd. Nid ar chwarae bach oedd athro ysgol gynradd yn derbyn neu wrthod miliwn o bunnau. Ond roedd gas ganddo drafod pres.

Miliwn o bunnau, Alwyn! O'n i'n tynnu gwallt fy mhen ac yn dal i bwyntio at y llechi rhydd ben to.

Os awn ni, fydd dim Cymraeg ar ôl yn y pentref, atebodd, gan droi dadl economaidd yn un am barhad yr iaith.

Callia! Tydi'r iaith ddim yn gyfrifoldeb i ni'n dau. Fedrwn ni'm aros jest am fod gen ti ofn pechu dy fam a Chymdeithas yr Iaith.

Roedd ei chonsýrn ariannol diweddar yn rhyfedd ar y diawl, achos agwedd pen-yn-tywod oedd ganddi hi at bres yn amlach na heb.

Trodd fy artist annwyl yn ddarlithydd-economeg-cowt-cefn. A do'n i'm yn barod i roi f'arfau i lawr.

Mae pob aelwyd yn y pentref 'ma bellach yn ddi-Gymraeg, heblaw ni, meddwn.

Be ydi'r ots? Dydw i'm yn mynd i ddechrau cynnig cyrsiau Wlpan o'r sied!

Roedd hi'n gacwn erbyn hyn, a dwi'n siŵr mai fy mai i oedd y cwbl am godi busnes yr oglau croen babi. Ddylwn i fod wedi gwybod yn well.

Cododd ei lais, a phaldaruo fod gan y dyn drws nesa sticer *Make Britain Great Again* ar ffenest gefn y car.

Ddeudes i mai fo, fel athro, oedd yn achub yr iaith, a'i fod o'n gwneud hynny bob dydd heb ddallt.

Athrawon ydi'r arwyr iaith go iawn, nid y gwleidyddion. Ti 'di blino, meddwn wrth wenu mewn cydymdeimlad.

O'n i isio deud wrthi – Nacdw, dwi ddim wedi blino. Ella mai hi oedd yr un oedd wedi blino. Wedi blino gormod i drafod lluniau Meinir. Wedi blino gormod i drafod be ddigwyddith i'r coed. Wedi blino gormod i gael rhyw.

Ond 'nes i'm deud.

Ac ella mai hi sy'n iawn. Ella y dylwn i fynd i weld arbenigwr. O'n i'n meddwl weithiau 'mod i'n gweld pethau o gwmpas y tŷ. Posteri *Aros* neu *Adael* yn rhithiau ar waliau, a Nigel Farages bach yn areithio ar ochr y bath.

Mae isio gras.

❧

'We are all Nigel now', dyna ddeudodd Alwyn. Dyfynnu'r dyn drws nesa oedd o, cyn traethu eto am y cwmni datblygu. Hwrjo darnau mân y tŷ mewn lorri wnawn nhw, medda fo, a'r waliau oedd wedi ei warchod ar hyd ei oes yn ddim uwch bawd sawdl na hen fatras.

O'n i wedi codi i'r berw, ac wedi laru ar ei hunan-dosturi. Be am i mi rwygo'r cytundeb ac anghofio am y cwbl, dyna fasa orau gen ti?

❧

Tasa Lona ond yn gwrando am newid!

O'n i'n gwybod bod hynna'n beth brwnt i'w ddeud ac yn difaru unwaith i mi agor 'y ngheg. Ond wedyn, os oedd hi'n cael ei deud hi, o'n i'n meddwl fod gen i'r hawl hefyd. Achos o'n i'n dychmygu gweld fy hen bapur wal eroplêns yn gymysg â brics mewn rhyw ddymp hyll ochrau Warrington.

❧

Doedd o'm yn arfer bod mor siarp ei dafod, felly mi godais a'i adael i stiwio.

Roedd hi'n dyfal guro'r hoelen i'r pren. A dyma fi'n awgrymu, be petai'r pymtheng mlynedd ddwetha ddim yn bod?

Be pe bai'r Wyddfa'n gaws? Clepiodd ddrws y gegin.

Twll dy din di, tŷ Lego, ddeudodd o, dan ei wynt.

'Nes i'm ateb yn ôl.

Doedd hi ddim yn y gegin, ac es i ddim i chwilio. Ymlaen â fi i'r twll dan grisiau. 'Ngwaed yn berwi.

Roedd yna sŵn cnocio tuniau o gyfeiriad y grisiau. Doedd Alwyn ddim yno, ond roedd y drws ffrynt yn 'gored led y pen. A dyna lle'r oedd o, wrth ymyl yr arwydd gwerthu tŷ. Efo tun paent a brwsh.

'Make it yours' ddiawl.

Peintio 'by killing mine' oddi tano oedd y bwriad. Ond dyma Lona'n martsio allan o'r tŷ tuag ata i.

Roedd o wedi colli'r plot, meddyliais. Gwamalu am dorri pennau cymdogion efo siswrn, gweld Nigel Farage yn dod o'r sinc, a rŵan hyn. Tynnais y brwsh o'i afael.

Yn ansicr ei gwên, cododd y ddynes dros ffordd ei llaw o gyfeiriad y *Sweet Williams.*

Ti'm yn gall, meddwn wrth gario'r tun paent yn ôl i'r tŷ.

Are you all right, Alwyn? gofynnodd y gymdoges gan chwifio llafn garddio o'i blaen. Consýrn yn ei llygaid a'i llais.

A dyma fi'n ei hateb yn bendant,

Cofiwch Dryweryn.

Cofiwch Alwyn.

Codi arfau . . .

Codi arfau . . .

TŶ

Wythnos a 'chydig sydd ar ôl tan y symud.

Amser felly i mi roi'r gorau i 'mhwyllgor cynllunio hunandosturi. Ymlaen â'r gân. Rhannu sy'n bwysig, ac os gall fy stori i helpu adeilad neu dŷ arall, yna ma' hynny'n ddigon i mi.

Mae'r pacio wedi codi stêm er bod Alwyn yn ara deg. Bodio pob llyfr, llestr a llun cyn eu lapio mewn ochneidiau a hen flancedi.

Lona ag amynedd mynydd.

A dwi ar lwgu.

Mor wag. Yn chwilio am chwerthin, a thamaid o gariad.

Neu rhowch i mi ddagra a thristwch. Dio'm bwys gen i pa emosiwn, dwi jest isio teimlo fod rhywun yn brwydro drosta i.

Y neidr, y jacal, y sgorpion a'r frân – bradwyr natur. A bradwr mwya dynol ryw yn byw yn fama hefo fi.

Aeth Alwyn, mwyaf sydyn, o fyw dan gragen i drafod syniadau am wario miloedd ar wyliau a phrynu cwch â'r elw. Am wyneb!

A phan glywodd y coed hynny, wel dyna'i diwedd hi.

A dyna achosodd iddyn nhw aflonyddu.

LONA

Er bod Alwyn yn ei alw yn bentref, dydi o ddim.

Ar sbectrwm aneddiadau'r byd, os mai'r metropolis ydi'r penteulu, yna fama ydi'r babi bach cynamserol. Llond llaw o dai ar ochr y ffordd, ar bwt o fryn, dyna'r cwbl. *Hamlet* o fath. Pentref bach, bach – ar binsh.

Saith tŷ wedi eu gwasgaru ar hyd milltir o lôn wledig, a ninnau'n byw yn y tŷ olaf ger y groesffordd am y ffordd fawr. Tri o'r saith yn dai gwyliau a dim ond dau o'r pedwar sy'n weddill â'r Gymraeg ar yr aelwyd, ni a'r fferm pen lôn.

Bum milltir i ffwrdd mae 'na dref farchnad, a chwta filltir, pentref fel pictiwr. Y lle 'gosa i briodi, i gael peint neu gladdu.

Mae'r tai sydd yma i gyd bron yr un fath ag yr oedden nhw pan gawson nhw eu geni dros ganrif yn ôl, heblaw am ôl prifio ar rai; mewn stafelloedd haul a *decking*.

Mewnfudwr 'dw i. Yn union fel gŵr y *gilet* melynfrown drws nesa sy'n cynnig sigârs i mi yn ogystal â'i farn, y ddau *Escape to the Country* dros ffor', a'r cwpwl neis o Lundain sydd pia'r tŷ haf wrth ymyl hwnnw.

Wela i'm bai ar *Major Gilet* o Swydd Efrog am setlo yma. Deud y gwir, ma'n reit braf cael uwchgapten wedi ymddeol yn byw drws nesa achos mae o'n gwneud i mi deimlo yn saff. Ac mae o'n haeddu llonyddwch cefn gwlad ar ôl oes o fartsio a chadw at reolau. *When I was here and there and everywhere . . .* ydi'r diwn, a gwyn ei fyd o am weld y byd heb orfod dysgu'r un iaith, am fod pawb yn medru'r Saesneg, medda fo.

A dyna'r cwpl o Essex. Wedi dod i'r tŷ dros ffor' a'u bryd ar fyw mewn llun Constable. Maen nhw wedi gwario miloedd tu mewn a thu allan. Mae'r ardd yn bictiwr o flodau a llwyni wedi eu naddu'n berffaith. Pobol ffeind gythreulig. Yn rhannu siytni a phostio hen gopïau o'r *Reader's Digest* drwy'r twll llythyrau.

Ac wedyn, Angela, Angie neu Annie o Alderley Edge, dwi'n dal ddim yn siŵr o'i henw. Hi sy'n fy atgoffa bob yn ail benwythnos pa mor braf ydi cael gadael y ddinas er mwyn i'w phlant gael crwydro 'free range'. Mae'n weindio ffenest y 4x4 gwyn am sgwrs frysiog, cyn i lanciau ifanc y sedd gefn ddechra cwyno fod y 4G wedi diflannu. Tawedog ydi'r *chinos* wrth ei hochr a'i fyd yn ei liniadur. Wrth frathu ei wefus mae o'n tapio'i sbectol haul sy'n hongian o'i goler fandarin. Poeni am ffigyrau ei siârs mae o, medda hi, gan chwerthin yn uchel. Yr un stori bob tro. Ac i ffwrdd â nhw i ddringo mynydd a socian traed mewn afon. Clên iawn ydyn nhw, chwarae teg. Hithau'n mynnu bod rhaid i ni alw am lasied o win i ni gael gweld cegin *open-plan* sbon danlli *Owl-more*. Mae hi'n canmol fod y gŵr wedi cael chwip o gês *Sauvignon Blanc* gan gleient o Seland Newydd.

Mae Angie Alderly Edge yn cymryd yn ganiataol ein bod ni'n ddi-blant, finnau heb galon i ddeud wrthi am Meinir.

Ac wedi pedair blynedd dwi dal heb flasu'r gwin yng nghegin Awelfor.

TŶ

Un tro . . .

Dyna sut mae pobol yn dechrau storis i blant, ynde? Cryno a phwrpasol. Felly, mi wna i'r un fath.

(Dydw i'm yn un i ganmol fel rheol, ond gwerth nodi – O holl lyfrau'r byd, rhwng cloriau waliau daw'r straeon gorau.)

Beth bynnag . . .

Un tro, mewn gwlad bell i ffwrdd . . .

Mewn straeon plantos bach, dyna maen nhw'n ddeud. A'r wlad bell honno bob amser yn hudol, â chanddi ei thiroedd, ei moroedd a'i chestyll ei hun. Fel tasa pobol sgwennu storis wedi penderfynu bod rhaid mynd i wlad arall i gael antur. I lwyddo. Dwn i'm, ella mai fi sy'n hen ffasiwn. Does dim rhaid symud i rwla arall er mwyn mynd ymlaen yn y byd. A da iawn fi, ddeuda i. Tŷ fy milltir sgwâr.

Dwi wrth fy modd efo straeon. Wedi clywed cannoedd ohonyn nhw. Wedi eu sugno a'u llyncu a'u poeri wedyn.

Rhai gwir. Ffug. Hen a newydd.

Dwi'n eu creu, weithiau. Rhai sy'n agor drysau. Straeon plant bach i oedolion. I bobol sydd heb anghofio sut i ddarllen fel plant.

Ta waeth . . .

LONA

Gwglo +++++
hamlet
/'hamlIt/

noun
a small settlement, generally one smaller than a village, and strictly (in Britain) one without a church.(one road with houses either side)

Gwahaniaeth rhwng pentref a phentref bach?
Aneddiad bach ydi pentref, mewn lleoliad gwledig fel arfer. Yn gyffredinol mae'n fwy na 'phentref bach' ond yn llai na 'thref'. Yn benodol, diffinnir 'pentref' gan rai arbenigwyr fel lle sydd â rhwng 500 a 2,500 o drigolion.

Faint o dai sydd mewn pentref bach?
Llai nag 16. Clwstwr o dai yn unig.

Beth sy'n gwneud aneddiad da?
Roedd ymsefydlwyr cynnar yn chwilio am nodweddion pendant mewn ardal i wneud bywyd yn haws: tir gwastad, i sicrhau diogelwch ac i wneud y gwaith o adeiladu yn hwylus. Deunyddiau crai, e.e. pren a

cherrig, i adeiladu cartrefi. Cyflenwad dŵr lleol i yfed, golchi, coginio, a chludiant.

Beth sy'n gwneud cymuned dda?
Lle - amhosib - gadael.

TŶ

Ia wir . . . felna mae a felna fydd hi . . .

Reit ta, yn ôl a ni at y stori.

Un tro . . .

Safai un tŷ bach twt. Ddim mor dwt â hynny, i ddeud gwir. Nac yn fach. Nid yn fawr chwaith. Canolig.

Tŷ ar ben mynydd oedd o. Mwy o fryn nag o fynydd yn ôl rhai. Ond, tasech chi'n gofyn i'r coed, mynydd oedd o'n reit siŵr. Achos mae tai a choed ar ben mynyddoedd yn gryfach na thai a choed ar ben bryniau, a llawer cryfach na thai a choed trefi. Yn fwy gwydn am fod yr elfennau'n amrwd yn y topia. Does gan dŷ a choeden ar ben mynydd fawr o ddewis ond bod yn gadarn, i oroesi'r holl wynt, glaw, haul ac eira sy' ganwaith gwaeth yn nes at y nefoedd.

Ac mi roedd y tŷ yma'n ddiawl o ddewr.

Tŷ ar ben ei hun. A'r tai wrth ymyl yn gwneud i'r tŷ deimlo'n fach achos roedden nhw'n dalach a thewach o fymryn. Gardd ffrynt yn chwaer fach, a'r ardd gefn yn frawd mawr. Y tri wedi tyfu fyny efo'i gilydd. A'r caeau tu ôl yn ffrindau oes. Roedd y gerddi a'r caeau yn siarad efo'i gilydd, a'r tŷ yn smalio ei fod o'n deall bob gair, ond doedd o'm yn dallt rhyw lawer, achos roedd iaith gweiriau mor wahanol i iaith cerrig, llechi a ffenestri.

Roedd y tŷ dros ffordd yn hwyliog. Y tŷ drws nesa yn ben bach, a'r tŷ drws nesa-ond-un â thueddiad i ddeud dim.

Aeth pethau'n flêr. Argyfyngus. Roedd Jiwdas a'i wraig ar fin gwerthu. Gadael. Am byth, heb droi blewyn.

Roedd y tŷ druan methu credu. Bu'n gofalu amdanyn nhw a'u teuluoedd cyhyd, ond doedd o'n cyfri'r un iot yn y diwedd. Roedden nhw'n codi pac, heb hyd yn oed ffeindio rhywun arall i fyw yn y tŷ. Dyna'r drefn arferol gan bobol gall a neis.

Gwerthu. Symud. Rhoi'r tŷ i bobol eraill. Ond nid tro 'ma.

Ac fel tasa gadael ddim yn ddigon, aeth Jiwdas gam ymhellach a chytuno i ddymchwel y tŷ bach twt, blêr, canolig, ben mynydd-dim-bryn.

Pob migwrn ac asgwrn. Yn dipiau mân. Racs jibidêrs.

Y fath frad.

hwnna dio

ALWYN

Dad, ydi coed yn teimlo poen?

Dwi'm yn siŵr, ond maen nhw'n gallu siarad efo'i gilydd, yn cofio bob dim ac yn gallu creu coed bach newydd. Pam ti'n holi?

Dwn i'm. 'Mond meddwl. Achos 'nes i dorri brigyn coeden-bol-mawr mewn camgymeriad, a dwi'n poeni 'mod i 'di brifo hi.

Meinir, fasat ti'm yn gallu brifo neb tasat ti'n trio. Siŵr fod y goeden yn ôl reit. Sbia, mae golwg fodlon braf arni.

Mor hawdd fydda bod wedi gwglo 'ydi coed yn teimlo?'

Ond, mi benderfynon ni nad oedden ni isio gwybod yr ateb go iawn.

Roedd Meinir a fi jest yn hoffi meddwl am y peth.

LONA

Bag ar gefn. Clustffonau. Cannoedd o ganeuon, ond gwrando ar yr un bedair drosodd a throsodd.

Cerdded i glirio'r meddwl.

Milltir, ac un arall.

Un arall. Un arall. Ac un am lwc.

Eistedd ar ddarn o wair ar ochr cilfach barcio, reit ar y ffin rhwng cefn gwlad a thref, a finnau ddim cweit yn perthyn i'r naill na'r llall.

O 'nghwmpas, byddin o ddant y llew a llygaid y dydd yn troi'n dalog at yr haul. Gallwn fod wedi mynd am goffi mewn caffi gerllaw, ond roedd yn well gen i baned fflasg ochr ffordd, lle'r oedd y chwyn a'r blodau'n cyd-fyw.

Rhyw frith berthyn oedd Alwyn a fi ers dyddiau. Hogi fy sgiliau arbedbrifoteimladau, tra ei fod o'n pwdu ac yn cario'r ddaear â'i ddwylo.

Roedd y gilfach ar bwt o allt, siopa'r dref islaw, a milltiroedd o gaeau tu ôl. Darn o dir terfyn. Un o'r llefydd nunlle 'na. Perthyn i neb.

Te fflasg. Llonydd.

Wnes i hel 'chydig o flodau pi-pi'n gwely. Roedden nhw'n ddelach na'r llygaid y dydd. Chwyn i rai, ond yn flodau i eraill.

Mewn gwirionedd tydyn nhw'n naill na'r llall.

TŶ

Nod y tŷ ydi trysori eitemau, gofalu amdanynt, eu gwarchod, eu harddangos. Eu dehongli ar sail hanes a chymeriad unigryw'r teulu a sicrhau bod y casgliadau hyn yn ysbrydoli ac yn addysgu cenedlaethau'r dyfodol.

Gweler uchod eiriad posib ar gyfer plac wrth ochr y drws ffrynt. Rhag ofn iddyn nhw ailfeddwl am werthu, a bod angen fy nhroi yn ganolfan hanes maes o law, neu anfon fy manylion ar gyfer rhyw archif ddigidol rwla. Murlen groeso math-o-beth.

Ta waeth . . .

Yn ôl at y stori . . .

Mae'r hanes yn dweud, fod Jiwdas a'i wraig yn siarad am y tŷ fel tasa'r coed ddim yno. Â'u dail druan, yn clywed bob gair.

Wnaethon nhw 'styried hynny? Naddo siŵr. Roedd ganddyn nhw ormod o feddwl ohonyn nhw'u hunain.

Er gwaetha'r siom, doedd y tŷ ddim yn un i sgwario. Procio'r tân ag ysgafn droed fydda orau. Rhaid oedd helpu Jiwdas i ddod at ei goed.

Gan bwyll.

ALWYN

Unwaith, daeth Meinir adref o'r ysgol yn ddagreuol.

Roedd hi wedi cael dipyn o sgeg, oedd yn rhyfedd ar y pryd, achos doedd hi'm fel arfer yn teimlo pethau i'r byw.

'Be sy' matar?' holais.

Eglurodd drwy ei dagrau iddi ddeud wrth ambell ffrind fod gan y tŷ wyneb, a bod ganddi goeden Nadolig yn tyfu o dwll yn y llawr wrth ei gwely.

Roedden ni wedi ei rhybuddio o'r crud i beidio sôn wrth enaid byw, ond doedd gan Meinir ddim ofn awdurdod gymaint â'i thad, a natur annibynnol ei mam yn gryf ynddi.

'Be ddeudon nhw?'

'O'dd pawb yn gwybod am y coed yn barod,' meddai Meinir yn ddigalon, 'ac mi ddeudon nhw fod y tŷ yn llawn bwci-bos.'

Be andros o'n i fod i'w ddeud? Felly, dewis deud fawr ddim. Mwmian ambell air o gysur a'i hannog i beidio cymryd sylw.

'Ddeudest ti 'wbath yn ôl wrthyn nhw?'

'Naddo,' atebodd â'i phen yn ei phlu. 'Ddeudes i'm byd. Achos dwi'm yn gwybod be 'di bwci-bos.'

LONA

Os ydi Alwyn yn gelciwr lluniau, dwi'n gelciwr geiriau.

Pentyrrau o lythyrau a phapurach mewn hen focsys bisgedi.

Ryseitiau llawysgrifen Nain ar dameidiau papur staen te. Slipiau cyflog a thaflenni angladdau. Cardiau post a phen blwyddi o bwys. Yn ddyddiaduron mewn amlenni.

A llythyrau caru Alwyn. Ei ddweud ar bapur yn llawer gwell nag ar lafar. Disgynnais mewn cariad â'i lawysgrifen gymaint â'i lygaid. Wedi fy nghyfareddu gan yr ymdrech oedd tu ôl i'r llythrennau crwm, a'r geiriau'n plygu dros ei gilydd ar 'y nghyfer i a neb arall.

A'r trysor pennaf – geiriau Meinir. Hen ben ar ysgwyddau ifanc oedd hi, yn sgwennu pytiau ar ddarnau o bapur yn fuan iawn 'rôl dysgu sut i ffurfio llythrennau. Gadael nodiadau ar obennydd, ar fwrdd, mewn pwrs. A chyda'r blynyddoedd trodd ei sgriblo yn baragraffau, yn llythyrau, yn straeon byrion.

Stwffiai'r postman bach ei newyddion dan ddrws cyn carlamu fyny'r grisiau i osgoi ffrae am godi o'i gwely. Tameidiau byr am boen bol neu bryderon drannoeth – oedd angen bocs bwyd? Gai fynd i chwilio am nythod? Ac roedd yna wastad ddeilen wedi ei gludo ar gornel pob nodyn.

A'r ohebiaeth mwyaf gwerthfawr oedd â'r lleia o eiriau:

Caru ti Mam. Caru ti Dad.

Does gen i'm lluniau yn fy waled, ond mewn bwlch rhwng y pres mân a'r cardiau banc, mae ei nodyn olaf un. Roedd hi'n brentis y sgwennu sownd ar y pryd.

I Tylwydd teg danedd.

heddiw collais fyn nant diolch am
ddod cariad mawr gan Meinir x
mae'r dant mewn bocs coch ar ddarn
o bren fy'n wely ac mae'r dant tu
mewn i hancas wyn

mae on eitha cuddliw ond mae o
yna rhag ofn boch chi ddim yn gweld

diolch fawr iawn iawn x

Llais mewn llawysgrifen. Ei sŵn hi.

Mewn byd y miloedd o luniau. Atgofion gwyliau. Nadoligau. Bwyta. Hunluniau â gwên gan bawb. Gwenau gorfod. Rhith y teuluoedd perffaith. Daw 'nghysur i mewn brawddegau, nid fframiau, â phob llythyren yn canu o bapur gwag.

TŶ

O'dd Jiwdas wedi bod yn meddwl: tybed oedd gan berchennog tŷ yr hawl dros y tir oddi tano hefyd? Y pridd. Y gramen. Y fantell. Y craidd allanol. Y craidd mewnol. Y nionyn i gyd.

'Ti'n nyts,' oedd cyhuddiad ei wraig, wedi cyrraedd pen ei thennyn. Roedd hi'n ymddangos nad oedd gan Alwyn fawr o ddewis. Symud i fyw, neu fyw hebddi.

Ond mi roedd ganddo un dewis arall, wrth gwrs.

Aros.

LONA

Unwaith, daeth Meinir adref o'r ysgol a pheidio tynnu ei 'sgidiau.

Peth rhyfedd ar y pryd, achos roedd hi fel arfer yn eu tynnu'n syth bin. Eglurodd fod ffrind wedi deud wrthi fod cerdded yn droednoeth yn afiach.

'Be ddeudon nhw?'

'O'dd pawb yn deud mod i'n fudur.'

Be andros o'n i fod i'w ddeud? Felly, dewis deud fawr ddim. Mwmian ambell air o gysur a'i hannog i beidio cymryd sylw.

'Ddeudest ti 'wbath wrthyn nhw?'

'Do,' atebodd yn gadarn. 'Ddudes i fod 'sgidiau fel carchar i'r traed.'

'Felly wir?' medda fi.

'Mae traed sy'n chwarae efo dail a phridd yn helpu'r meddwl i feddwl yn well.'

Tynnodd ei 'sgidiau a'i sana, ac i ffwrdd a hi gan ddilyn yr awel i'r ardd.

ALWYN

Ffoniodd y Pennaeth. Cymra dy amser. Dim brys i ddod yn ôl. Gorffwysa.

Niwlog oedd petha wedyn. A'r byd wedi ei liwio'n wyrdd a glas rhywsut. Cyffwrdd dodrefn a chyrtens. Anwesu waliau.

Chwarae mig efo Alwyniaid y gorffennol.

Yn bedair oed â'i injan dân. Yn un deg saith wedi pasio prawf gyrru, gwallt wacs. Caru lletchwith gefn car. Cyn Lona.

Hiraeth.

Alwyniaid hapus, trist, sâl, drygionus yn codi llaw, ac yn holi, Sut oedd Alwyn heddiw?

Pen clwc, atebais i nhw'n ôl. Teimlo'n *hungover*. Meddwi ar goffi a *Diet Coke*, er 'mod i bron marw isio yfed gwin i frecwast. Roedd arna i ofn y bron-â-digwydd. Bron yn fradwr, bron yn diprésd, bron yn alcoholig, bron yn filionêr.

Awgrymodd un o'r Alwyniaid mai gadael fyddai orau. Ella y bydda'n gwneud lles i'r coed weld golau dydd yn lle nenfydau artex. Ac ella mai dyna oedd y tŷ isio –

Dos, Alwyn. Dwi'n hen ac yn hyll. Pryna Ferrari. Hwylia rownd y Caribî. Pryna jacŵsi.

Ddeudodd y tŷ hynny? Dwn i'm . . .

Gyda llaw, dyn 'ta dynes ydi tŷ?

LONA

Gyfeillion, (rhai'r dref, rhai'r wlad, ffrindiau ffwrdd, teulu agos, teulu-gweld-mewn-angladdau, cymdogion, cyd-weithwyr, pawb a'i nain yn y bôn.)

Diolch am ddeud mai brad ydi dymchwel tŷ mor hen, ac 'mi fydd hi'n ddiwedd ar y Gymraeg os gwerthwch chi'. Mae Cymry i fod i gefnogi ei gilydd, dyna ddudoch chi, cyn gadael am benwythnnos yng Nghaer i siopa Dolig, ac i Lerpwl am noson allan.

Diolch am ddeud mai doeth ydi dymchwel tŷ mor hen, a 'bod angen i'r Cymry a'r di-Gymraeg gymysgu efo'i gilydd yn amlach'. Maen nhw'n codi ysgol Gymraeg efo'r stad newydd, gwych, meddech chi, cyn mynd i warchod y wyrion sy'n eich ateb chi'n Saesneg.

'Saeson ddaw siŵr o fod,' dyna ddeudoch chi wrth bwyso'ch dwylo ar waliau. Dim brys i fynd i nunlle. A rhai'n penelino ar ochr drws car yn sôn am 'ladd yr iaith', a 'thai fforddiadwy', '*my arse*'.

A dyna'r ffoniwrs wedyn, yn trafod dyfu'r Gymraeg drwy greu cymuned newydd, eraill yn gweld y lle'n troi'n barc gwyliau. Ac un tecstiwr gwerth y byd yn gweiddi drwy'r gwifrau, GWARIA! New York, Paris, Miami. Amdani!

Diolch bawb am wneud i mi deimlo 'mod i'n westai ar raglen newyddion. Diolch i chi am fy nghroesholi a 'nrysu. Dwi'n gwerthfawrogi eich barn olygyddol, ond dwi'm isio mywyd i fod yn destun *Pawb a'i Farn.*

Diolch i chi hefyd am roi dyfodol Cymru yn fy nwylo i ac Alwyn. Mae'ch mewnbwn wedi gwneud penderfyniad anodd lawer gwaeth.

Dwi'n casáu penderfyniadau, ac mae hwn yn benderfyniad bobman.

Carreg mewn hosan. Dolur annwyd o benderfyniad.

Ond gesiwch be? Dwi'n dal isio mynd!

Yn eiddoch yn gywir,

Lona

O.N. – Gyda llaw, fydda i ddim yn archebu arolwg i ddiogelu unrhyw *great crested newt* nac ystlum.

ALWYN

Flynyddoedd yn ôl, pan oedd Meinir yn fabi, roedd Lona isio cnocio'r waliau lawr. Doedd hi'm yn gallu dioddef cael ei chau fewn gan ystafelloedd bach a nenfydau isel. Roedd angen mwy o le i'r awyr, medda hi. Er mwyn i Meinir gael gofod braf i dyfu.

Penderfynu peidio chwalu'r waliau 'nes i. Roedd y llanast a'r gost yn ormod. A finnau'n hoffi'r tŷ fel ag yr oedd o. Fel ag yr oedd o efo Mam a Taid.

Mi o'n i'n ei siomi hi. Roedd hynny'n amlwg. Fy niffyg menter. Cynilo i ni allu gwneud be fynnom ni ar ôl ymddeol. Roedd popeth yn mynd i ddigwydd – ar ôl ymddeol.

A 'sa'n well o lawer gen i tasan ni'n dau ddim yn poeni am arian o hyd fel ydan ni. Ond, i mi, roedd ffigyrau gwerthu'r tŷ yn gamarweiniol. Doedd pres y datblygwyr ddim cweit yn ddigon i mi ymddeol yn gynnar. Roedd o'n arian mawr iawn, iawn. Oedd. Ond. Doedd o ddim yn gyfoeth oedd yn haeddu lle ar unrhyw ddalen flaen.

O'n i'n sylweddoli 'mod i'n brifo Lona, a thaswn i'n gwybod fod amser Meinir mor brin, faswn i'm 'di bod mor ofalus ar hyd y blynyddoedd. Mi faswn i wedi cnocio'r waliau'n syth bìn er mwyn iddi gael digon o le i chwarae a thyfu.

Ond roedd rhaid i mi warchod y coed yn ogystal â 'nheulu.

Y waliau oedd yn ein cadw'n saff. A thasa'r waliau'n disgyn mi fyddai'r coed yn tyfu a lledaenu

a Taid wedyn yn gwaredu.

LONA

'Gwna dy hun yn gartrefol,' ddeudodd Alwyn, reit o'r dechrau.

Mi wnes.

Am flynyddoedd.

Nes i mi laru ar deimlo fel merch ysgol yn gofyn am fenthyg goriadau car ei rhieni, bob tro oedd gen i awydd papuro neu newid carpad.

TŶ

Unwaith eto Nghymru Annwyl, yn ôl â ni at y stori . . .

Un tro mewn tŷ bach twt, blêr, canolig, ben-bryn-nid-mynydd, mynydd-nid-bryn, dwn i'm . . . roedd Jiwdas y perchennog yn tristáu. Doedd cwsg ddim yn dod yn hawdd ers wythnosau. Ond un noson, mi gysgodd yn sownd. Cwsg heb symud blewyn. Driblan ar obennydd.

Tabledi cwsg ochr gwely. Cryfach na'r Nytol arferol. Presgripsiwn. Ac am ei fod o mor llonydd, ofnai'r coed ei fod o wedi marw, nes gweld y gair Zaleplon ar label blaen y bocs. Cyffur cwsg, h y p n o t i g.

Dyma'r tŷ'n siffrwd wrth y coed mai dyma eu cyfle. Daeth yr amser iddyn nhw ddangos eu dannedd. Amser i'r dail ddisgyn. Amser i'r gwreiddiau sleifio.

Felly, dyma osod dwy ddeilen grin ar ei rasel wrth y sinc.

Rhodd.

Am fod yr arwydd yn yr ardd.

LONA

Roedd hi'n od o glòs ers dyddiau.

Weithiau, o'n i'n cael fy ngwasgu gan y to.

Ddeudes i'm gair wrth neb. Ond roedden nhw'n ôl.

Es i gysgu i'r sied.

TŶ

Mi ddeffrodd Jiwdas ganol pnawn. Brwsiodd ei ddannedd a phiso'r un pryd. Sylwodd o ddim ar y dail.

Dacia!

Doedd pobol drist ddim yn siafio,

a'r coed heb ystyried hynny.

Triwch eto.

ALWYN

Deffro wedi cwsg mor drwm â degawd. Y felan wedi cydio a'r tabledi wedi gweithio. Codi a rhoi crib drwy 'ngwallt a ffeindio deilen ar y bwrdd gwisgo. Deilen gringoch. Finnau'n meddwl mai fflwff oedd o, nes i groen gŵydd godi drosta i.

Yna, ges i hyd i chwaneg o ddail. Yn amryliw ar obennydd, ar fwrdd y gegin, yn y cwpwrdd tanc, yn glynu at gwpanau a dodrefn. Roedden nhw yn eu hôl.

Fel arfer, mae angylion yn anfon eu cyfarchion â phlu gwyn neu geiniogau. Nid yn fama. Croeso i nefoedd y brigau! A 'sa'n llawer gwell gen i blu taswn i'n onest. Haws o lawer eu trin na hen ddail.

Paid â bod mor anniolchgar, sibrydodd rhyw awel tu ôl i 'nghlust.

LONA

Aethon ni am dro i dop y bryn, a'r golygfeydd o'r dyffryn hyd y môr mor dlws. Weithiau, mae'r bryn yn rhoi'r argraff ei fod o'n lle gwag ac unig, ond mae hen ffiniau'r caeau yn atgoffa fod pobol wedi tarfu ar ei lethrau ers canrifoedd.

Gen i feddwl mawr o'r bryn, bu'n gwmni cadarn ers i mi symud yma. Mae ei weld o'r tŷ yn fy sadio, ac yn profi fod rhai pethau'n ddisymud er bod popeth arall yn newid.

Fan hyn mae Meinir. Ei llwch yn gymysg â phridd y llethrau, yn y grug yn gwrando ar draciau sain y gwynt. Ambell dro, mi fyddai'n difaru na wnaetho ni ei phlannu hi yn yr ardd achos ella 'sa hi wedi tyfu yn ei hôl.

Doedd Alwyn ddim yn dod i gerdded fel arfer. Gwaith neu'r ardd wastad yn galw. A doedd meddwl am Meinir hyd y llethrau ddim yn dod â chysur i'w ran o fel ag yr oedd i mi.

'Neith les i ti gael awyr iach,' ddeudes i.

'Tyrd di yn ôl adre' o'r sied,' medda fo.

Cytuno. Anghytuno. Gafael llaw. Hiraeth ar ben bryn.

'Tyrd adra. Dwi'n dy golli di.'

'Well gen i gysgu'n y sied am y tro.'

Doedd cysgu yn y sied fawr o gamp taswn i'n onest. Fel aderyn mudol, dwi 'di hen arfer symud o le i le, ac o gyfnod i gyfnod.

Cydiais yn ei benelin a'r awel yn tynnu dŵr i'r llygaid. 'Ti'n gwybod sut dwi'n teimlo.'

'Yndw. Ti 'di deud ganwaith.' Ei amynedd yn pylu.

'O'dd o'n dŷ byth bythoedd i mi unwaith, ond dwi 'di blino gorfod cofio.'

Coflaid o gydnabyddiaeth wedyn rhwng brodor a mudwr. Gwasgu'n dynn.

'Wyt ti wedi eu gweld nhw?'

'Nes i'm ateb yn syth, ond mi wyddwn ei fod o'n sôn am y dail.

'Wyt ti wedi eu gweld nhw?' holodd yn fwy chwyrn eilwaith.

'Do,' atebais yn biwis. Gollyngais ei law a cherdded fel coblyn o'i olwg.

'Aros,' gwaeddodd.

Ond 'nes i ddal ymlaen i gerdded lawr y bryn, yn gynt nag o, a 'mhen i'n troi, ac mi roedd Meinir dal wedi marw, a'r tŷ'n dal yn fyw, y coed yn dal i dyfu, yr adeiladwyr wedi cyrraedd, ac roedd hi 'di dechrau bwrw dail.

Eto.

TŶ

Ddiwrnod ar ôl i Meinir fynd oedd y tro diwetha i'r dail ddisgyn, gan adael y coed yn sych ac yn noeth.

Doedd eu gweld yn disgyn ddim yn syrpréis i Alwyn. I Lona, fodd bynnag, roedd o'n brofiad diarth.

Ond roedd popeth yn ddiarth ar ôl Meinir.

Disgyn fesul deilen wnaethon nhw yn y dyddiau cyntaf, cyn gollwng eu tyfiant yn gyfan gwbl o fewn wythnos. Yn y parlwr a'r cyntedd a'i stafell hi. Dros ei gwely, dros lyfrau, dros y dillad a wisgodd ddiwetha, y rhai oedd ar lawr, yn barod i'w golchi.

Dwi'n cofio sioe debyg pan fu farw brawd Alwyn, ei daid a'i daid o cyn hynny hefyd. Ar ôl i Meinir fynd, roedd y coed fel petaen nhw ar goll a ddim yn siŵr be i'w wneud. Mi benderfynodd y gwreiddiau ymestyn o dan y lloriau, a'r brigau yn pigo'n uwch at y toeau.

A thrwy ei dagrau, roedd Lona yn falch. Achos roedd natur yn cydymdeimlo ac yn deall anferthedd ei galar. Y ddaear yn rhoi ordors i'w phethe estyn llaw. A dyna'n union oedd Lona isio. Mi ddylai'r afonydd fod wedi stopio llifo, a'r bryniau droi'n ddu. Dylai'r cymylau fod wedi dangos parch a thaflu eu dagrau dros bob man, a'r planhigion afael yn dynn yn eu gwreiddiau achos ella mai nhw fyddai'r nesa i golli eu blodau bach o'r gwraidd. Ac mi eisteddodd Lona yng nghanol y dail am oriau yn eu rhwbio dros y llawr, a rhwng ei dwylo. Yn eu harogli a'u gwasgu yn stwnsh mewn dyrnau. Mi griodd ddigon i ddyfrio holl gaeau sych y byd. Ac Alwyn yn poeni amdani, wrth iddi droi at y dail yn fwy na fo. Am ei bod hi, am y tro cynta erioed, yn un â'r coed, a fynta yn edrych arnyn nhw heb deimlo dim.

Ymhen amser, mi ddaeth dail newydd, ac mi aeth y gwreiddiau'n ôl i'w lle. Crebachodd y boncyffion i'w meintiau arferol, fel tasan nhw wedi anadlu'n ddwfn a gollwng eu gwynt drwy'r drws cefn i'r caeau.

Sbrowtiodd y dail yn wyrdd ac yn gryf, nes bod y brigau'n llawn dop unwaith eto. A Lona'n dyfrio'r coed bob dydd i'w cryfhau, achos yng nghanol storm waethaf ei bywyd, pan ddaeth yr hydref i'r tŷ ganol haf, mi gafodd Lona nerth gan gawodydd dail.

ALWYN

Mi roedd hi 'di bod yn bwrw dail ers dyddiau, a finna'n newid meddwl â phob gwawr.

A finna'n newid meddwl gyda phob gwawr am y symud i fyw. Wnaethon ni barhau i bacio, a 'nes i archebu'r fan fudo.

Roedd hi'n gyfnod rhyfedd o gyfnewid addunedau â'r coed. Pwdu. Chwarae gemau ffôn, a chario paneidiau i griw'r cwmni adeiladu.

Eisteddais am oriau yn eu gwylio'n tyllu'r caeau cefn. Es i fusnesu, achos welais i 'rioed sylfeini yn cael eu gosod o'r blaen. O'n i'n edmygu eu gwaith, roedden nhw mor gywrain – 'Just preparing things down here,' medda un llais o'r twll. 'First few bricks for the foundations.' Ac erbyn diwedd y pnawn roedd sawl wal fach wedi tyfu o'r toriadau yn y pridd. A finnau'n mwynhau'r gwmnïaeth, a'r pryfocio gweithwyr bôn braich, er 'mod i ddim isio iddyn nhw fod yna. Fel y teimlad pleserus 'na o bigo briw a'i grafu'n waed.

Roedd y tŷ yn wag, dim lluniau ar waliau, a finnau'n swatio mewn sach gysgu ar ben matras. 'Nes i stopio cymryd y tabledi cysgu er i Lona draethu fod rhaid i bawb gael cwsg, a faswn i'n dda i ddim i neb wedi ymlâdd. Ond doedd hi ddim yn cysgu chwaith, medda hi, ac roedd hi'n dal yn y sied efo'i chanhwyllau yn dianc rhag y dail. Rhag ei gŵr.

Ganol nos, a finnau'n trio cadw 'ngwres a chwarae

papur, siswrn a charreg efo mi fy hun, clywais glec o lawr grisiau. Sŵn crecian, od ond cyfarwydd. Rhyw sŵn dwfn fel rhywun yn dylyfu gên. Sŵn rwbath yn deffro.

Rhwbio llygaid wrth gerdded lawr, y llwch yn cosi. Sŵn craciau. Sŵn torri.

Roedd fy nghalon yn trio diengyd o 'mrest, a finnau'n rhoi'n llaw arni i'w dal yn ôl. Methu'n glir â chael hyd i'r switsh golau ac ymbalfalu yn y tywyllwch yn chwilio am dortsh y ffôn bach er mwyn gweld be oedd yn digwydd.

Roedd gwreiddiau'r coed wedi cracio'r lloriau, a llwch a dail a llanast dros y lle. Baglais dros wreiddyn y wernen oedd wedi ymestyn o 'mlaen o'r cyntedd i'r gegin ac yna drwy'r drws cefn. Roedd yr aethnen wedi tyfu reit at y cae. Ei Mawrhydi y Secwoia *Sempervirens* a'i rhisgl melyngoch meddal yn chwilio am ei gwreiddiau, roedden nhw wedi datod o'r pridd ac yn cripio waliau'r sied, a'u sŵn fel sialc ar fwrdd du. A bysedd y goeden-bol-mawr yn chwarae piano dros y wal.

Dilynais y gwreiddiau, sŵn crensian dan draed, yna dringo drosodd i'r cae. Baglu eto a thorri croen fy mhen-glin. Difaru 'mod i wedi dod allan heb sbectol. Ac wrth i mi gerdded ymlaen at sylfeini'r tai newydd, dyna lle'r oedd y gwreiddiau yn llifo i'r tyllau.

Codi cestyll . . .

Codi cestyll . . .

LONA

Mewn cocŵn o ddillad gwely yn fy hafan *hygge* yn y sied, ces fy neffro gan sŵn gweithwyr yn siarad yn uchel. Sŵn cwyno. Tinc blin. Rhegi.

Er i mi gysgu'n hwyr, roedden nhw wedi cyrraedd oriau yn gynt na'r arfer, felly o'n i'n gallu synhwyro fod rhywbeth o'i le. Ches i'm cyfle i gael cawod, ac o'n i'n teimlo'n chwithig yn gorfod cerdded o'r sied yn fy mhyjamas. Clymais fy ngwallt yn ôl mewn cynffon ceffyl frysiog, a swilio hylif golchi ceg yn gyflym.

Braidd yn naïf oeddwn i o ran y gwaith adeiladu. Ddim yn dallt rhyw lawer am y broses, ond roedd hi'n amlwg nad oedd pethau'n iawn. Gweithwyr yn rasio fyny a lawr y cae, yn siarad ar eu ffôns ac yn pwyntio rhwng tyllau a'r awyr â golwg methu'n glir â dallt arnyn nhw. Cotiau melyn llachar ac ambell rebel yn cerdded rownd heb helmed.

Roedd y lle yn llanast llwyr. Y waliau bychan oedd yno'r noson cynt wedi eu chwalu, a phentyrrau o frics yn flêr ym mhob man. Sylwodd ceiliog y domen 'mod i'n cerdded tuag atyn nhw, a cherddodd yntau tuag at y wal oedd yn ffin rhwng gardd a chae.

Pan benderfynon ni werthu, fisoedd yn ôl, yn fy naïfrwydd, 'nes i erioed feddwl fasa'n rhaid i Alwyn a fi weld y stad newydd yn cael ei hadeiladu. A phan ddaeth y gweithwyr yma'r tro cynta o'n i'n siomedig, dros Alwyn yn fwy na dim. Yn flin eu bod nhw'n rhwbio halen i'r briw. Ond, gydag amser, ddois i i arfer efo nhw, ac eitha mwynhau'r prysurdeb.

Wrth gerdded at y wal, o'n i'n dychmygu be oedd y sgwrs am fod, gan ddyfalu ei fod o am ddeud ''Dan ni am roi'r gorau iddi. Fedrwn ni'm parhau â'r cynlluniau.' A finna'n ei ateb o'n ôl, 'Na dach wir, peidiwch â'n gadael ni.'

O ystyried y chwalfa tu ôl iddo fo, mi roedd y gŵr yn hynod fonheddig, ac roedd gen i gywilydd 'mod i'n ei weld o'n reit olygus yn ei wendid. Ddeudes i rywbeth gwirion mewn llais sarcastig, 'Wel, ma' rywun wedi cael diawl o barti yma neithiwr.'

Nath o'm chwerthin.

'Nes i'm chwerthin chwaith, 'mond rhoi gweddi chwim i un o'r ffosydd fy sugno o'r golwg.

Mi ddechreuodd o siarad fel pwll y môr wedyn, mewn brawddegau oedd yn frith o 'methu credu'r peth' a 'mae'r lle 'ma wedi'i witsio', cyn holi'n fwy trylwyr o'n i wedi gweld neu glywed unrhyw beth.

Dim smic, meddwn i. Am y tro cyntaf ers wythnosau, gysgais i fel twrch.

Daeth gŵr côt felen arall aton ni, â golwg welw arno. Barodd y sgwrs rhyw ddeng munud, a'u geiriau yn hofran dros fy mhen. Dwi'm yn cofio fawr o be ddwedon nhw, dim ond fod 'na lot o dermau adeiladu yn y canol. 'Nes i holi am strwythurau'r sylfeini, ac mi ges i esboniad hir am goncritio a *footings* a'r frawddeg yn gorffen efo *love*.

Wedi ffwndro a chochi at fy nghlustiau, daeth yr amser i mi fynd i chwilio am fy ngŵr. Roedd dagrau'n pigo, achos do'n i'm yn gyfforddus yn eu cwmni nhw a finnau'n dal yn fy mhyjamas, a do'n i'm yn licio cael fy ngalw yn *love.*

Ddois i o hyd i Alwyn yn y gegin wrthi'n ffrio wy. Doedd o'm 'di coginio'n iawn ers wythnosau, ac wn i ddim o le gafodd o hyd i'r badell ffrio. Chwant brecwast harti, medda fo. A finna'n meddwl fod lliw gwell ar ei fochau a'i fod o, o'r diwedd, yn how-dderbyn ein bod ni'n symud, ac wedi penderfynu ei fod o am wisgo ei drowsus hogyn mawr am newid.

Be ddiawch sy' 'di digwydd i'r waliau, Alwyn?

Llanast, medda fo'n ddi-hid.

Glywist ti 'wbath?

Naddo. On i'n cysgu'n sownd. Gymres i dabled ychwanegol.

A dyma fo'n estyn tost o dan y gril, a holi o'n i awydd ffrei-yp.

Yna, mi 'steddon ni, drwy'r dydd, wrth ffenest fawr y gegin yn edrych ar y gweithwyr wrthi fel lladd nadredd yn ailgodi'r brics a smentio.

Ac erbyn amser mynd adref roedd waliau bach newydd wedi eu codi.

Ychydig yn uwch na'r diwrnod cynt.

TŶ

Cyfarchion gyfeillion! Gymrwch chi un arall?

Ar fy ngwir . . .

Liw nos â'r byd yn breuddwydio, roedd y tŷ-bach-twt-blêr-ben-mynydd-dim-bryn yn wreiddiau i gyd, a brigau'n cyrraedd nenfydau. Gwthiodd yr aethnen ei gwinedd drwy seilin y parlwr ac ysgwyd llaw â'r wernen.

Drwy'r gegin, roedd y coed wedi ymestyn eu coesau i gyfeiriad yr ardd, gan gosi bodiau traed y dderwen i'w thynnu hithau at y cae. Chymerodd y goeden rosod fawr o sylw, un ddiog mewn brwydr oedd hi.

A'r bore wedyn, roedd hi'n anhrefn yn y cae tu ôl i'r tŷ unwaith eto. Roedd yr un peth wedi digwydd am yr eildro. Doedd yr un fricsen ar ôl yn y waliau – a phob carreg wedi dymchwel.

Bore wedyn mi roedd yna hen ddyfalu a phontifficeiddio, ond neb yn dallt dim.

Dwi ac Alwyn yn deall. Mi welodd o'r gwreiddiau'n tyfu ganol nos. Yn crynu'r cae a thynnu'r waliau i lawr. Ond soniodd o'r un gair.

Does dim o'i le ar gadw cyfrinach. Does dim o'i le chwaith ar goed yn mynnu byw.

LONA

Fel hyn 'oedd petha . . .

Dail hyd bob man tu mewn. Y llawr yn graciau a'r wernen a'r aethnen yn plygu pen.

RHEOLWR SAFLE	Lle ar wyneb y ddaear ma'r waliau?
LONA	Alla i'm credu'r peth.
RHEOLWR SAFLE	Hurt bost! Dwi 'rioed wedi gweld ffasiwn lanast.
LONA	Cyflafan.
RHEOLWR SAFLE	Sut aflwydd all waliau a sylfeini chwalu am yr eildro, a ninna'n defnyddio'r sment cryfa yn y busnes?
LONA	Dwi mor sori.
RHEOLWR SAFLE	Does 'im isio deud sori siŵr. Does a wnelo hyn ddim byd â chi. Duw a ŵyr pwy neu beth sy'n achosi'r fath ddifrod.
LONA	Fedrwch chi gael arbenigwyr draw?
RHEOLWR SAFLE	Dwn i'm. Mae fel petai rhyw ysbryd aflan yn byw yn y bryn 'ma.

Fel hyn aeth hi wedyn . . .

Dail yn glynu wrth ddodrefn, mewn bocsys, yng nghloeon y drysau, yn hongian o'r distiau. Roedd hi'n bwrw dail yn sobor iawn.

LONA	Sut aflwydd wyt ti'n disgwyl i mi ymateb?
ALWYN	Peidio gwylltio. Natur sy'n siarad. Fedrwn ni'm mynd yn groes. Ddylwn i fod wedi canslo'r cytundeb. Roedd rhaid iddi fwrw dail. Ella, 'sa'n dda o beth i ni wrando.
LONA	Gwrando ar goed?
ALWYN	Tydyn nhw'm isio i ni adael Meinir.
LONA	Felly, dwi'm yn galaru gystal â chdi? Am 'mod i isio mynd? Alla i'm diodde rhagor. Fasa Meinir ddim isio i bethau fod fel 'ma. Fasa hi ddim isio i ti a fi fod fel'ma.
ALWYN	Ti'm yn dallt, nagwyt? Lona, Meinir sy'n gollwng y dail.

ALWYN

Roedd o wedi archebu *prefabs* i'r gweithwyr allu cysgu dros nos *on-site*, medda fo y rheolwr safle. 'Iddyn nhw gadw llygad ar be ddiawl sy'n mynd 'mlaen. Mae'n amhosib i sylfeini mor gadarn chwalu heb reswm.'

Roedd o'n gandryll. Wedi cael andros o fraw, ac yn dwrdio nad oedd o, mewn dros ugain mlynedd yn y diwydiant, wedi profi waliau yn chwalu ddeuddydd yn olynol. Mi ddeudes i wrtho, ella mai'r ddaearfam oedd yn trio anfon neges.

'Da o beth fydda iddi hi, ei sêr a'i lleuad godi ffeit efo rhywun arall felly,' atebodd. 'Fyddwn ni'n mynd at waelod hyn. A'r rheiny sy'n aros dros nos yn siŵr o ddod o hyd i pa felltith sy'n dinistrio'n gwaith ni.'

O ran hwyl, 'nes i ddeud fod chwalu sylfeini a waliau fel hyn yn swnio fel stori o'r Beibl. Awgrymais bod angen i ni ofyn i arbenigwyr yn y maes ddod yma i ddadansoddi. Soniais am ellyllon a dirgel ffyrdd. Fandaliaid o bosib. Terfysgwyr hyd yn oed.

'Mi fyddwn ni'n adeiladu Castle View yn union fel y cynllun gwreiddiol, doed a ddêl,' sicrhaodd ceiliog y domen wrth edrych i fyw fy llygaid. 'Ac o ran iechyd a diogelwch, oni fyddai'n syniad i chi a'ch gwraig adael y tŷ yn gynt na'r bwriad?'

A chyda'r frawddeg yna, mi adewais yr hen gyfaill a'i siop siafins, a mynd i chwilio am Lona.

Doedd dim golwg ohoni yn y tŷ, ac roedd hi wedi bwrw dail yn drwm yno eto. Dros focsys, mewn bocsys, glynu wrth selotep, yn sownd yng ngholynnau'r drysau, yn blocio'r toiled.

Es i i'r sied i chwilio am Lona. Doedd hi'm yn fanno chwaith, a'r sied yn llwm. Dim canhwyllau, dim dodrefn.

Dim byd.

LONA

Rhannu sanau a brwshys dannedd.

Rhannu cyllyll, ffyrc a biliau.

Pi-pi o flaen ein gilydd, a phigo plorod hefyd.

Roedden ni'n ffrindiau garw. Yn briod ac yn fêts. Alwyn a fi. Fi a fo.

Ti'n fy ngharu i? (dro ar ôl tro)

Yndw siŵr, ti'n wraig i mi. (drosodd a throsodd)

Ella mai 'ngharu fel ffrind wyt ti? (droeon)

Arglwydd mawr, Lona. Stopia. 'Dan ni'n solad. (bob tro)

Ailddarllediadau o'r un sgyrsiau. Fel yna 'oedden ni. Gwely, gŵyl a gwaith.

Weithiau dwi'n gwthio'n lwc, a dweud, 'Dwi'n caru ti fwy nag wyt ti'n fy ngharu i . . .' a wedyn dwi'n teimlo'n wirion achos tydi hynny ddim yn neis. Ac mae o'n ateb yn ôl mor annwyl, 'Tydi o'm yn bosib i ti fy ngharu i yn fwy, am 'mod i'n dy garu di hyd yn oed yn fwy na hynny!'

'Sori 'mod i'n lolian.'

'Ti yn lolian. Ond fy lolyn i wyt ti.'

Mae o'n rhoi 'o bach'. Dwi'n cnoi gewin, a 'dan ni'n symud ymlaen. Dyna'r drefn arferol.

Nid tro 'ma.

TŶ

Amser maith yn ôl, a hithau'n noson lleuad llawn. (Roedd y lleuad wastad yn gwisgo'n grand ar gyfer achlysuron fel hyn.)

p'un bynnag . . .

Cwsg aflonydd gafodd gweithwyr y cabanau dros dro. Daeth sŵn dwndrus o rywle a bu'r ddaear yn crynu. Troi a throsi wnaethon nhw, ond yr un yn deffro. Drannoeth, mi welsant fod y brics i gyd wedi eu dymchwel am y trydydd tro a'r sylfeini ar chwâl.

Cyrhaeddodd y rheolwr a chael sioc farwol o weld fod yr un peth wedi digwydd eto. Gorchmynnodd gyngor arbenigwyr mewn cotiau oren. Ac mi ddaethon nhw â'u harfau o chwyddwydrau a ffyn mesur. Doethion heb atebion. Ffenomenon, medden nhw.

Mae'r lle wedi ei felltithio, ddeudodd rhai. Rhoi'r gorau iddi fydda orau, yn ôl y lleill. Codiad cyflog i bwy bynnag all ddod o hyd i ysbryd. Codiad cyflog uwch i'r un all gadw'r waliau ar eu traed.

Ac wrth iddyn nhw fân siarad a chwerthin am ddiafoliaid a bwganod, welodd yr un ohonyn nhw'r coed yn siglo, na'r ferch fach yn ysgwyd ei phen ar y ffyliaid. Wydden nhw ddim am yr ogofâu dan ddaear, a'r holl wreiddiau'n cyfarfod. A'r dreigiau'n cysgu.

ALWYN

Mi gyrhaeddodd bost-mortemau'r gweithwyr ar awel drwy ffenest agored y gegin: ailgodi, ail-wneud, ail-lunio, ail-greu, sgaffaldiau, saernïo, plastro, pres.

Eisteddais yn gwylio'r cyfan, a'r ffiniau rhwng fy mydoedd yn flêr.

Mi ddaeth ambell neges ffôn i darfu a chynghori 'llechen lân' a ballu. Neb yn ffonio, dim ond teipio. A'r cyfan o'n i isio oedd rhedeg rownd y caeau, hel mwyar duon efo Mam, a chael bod yn dad eto.

Ei henw ar foncyff coeden a'i llwch dros fryn, dyna'r cwbl oedd i gofio amdani. Roedd Meinir yn haeddu cymaint mwy. Roedd angen i feirdd ganu iddi, a chyfansoddwyr gyfansoddi.

Dwi'n codi ac yn cerdded at Coeden-bol-mawr, ac am y tro cynta ers dyddiau mae oglau'r rhosod yn gryfach na'r sment gwlyb.

Mwytho llaw dros y rhisgl, dros amlinelliad llythrennau ei henw, a chofio fod ei hysgrifen, ar y pryd, mor daclus i un mor ifanc. Mae 'na ormod o sŵn o 'nghwmpas, a'r meddwl yn brifo. Bipian y cerbydau palu, gweiddi'r gweithwyr a chyfeiliant y peiriannau cymysgu. Mae'r marciau sydd wedi eu naddu yn arw ac yn bachu darn o groen. Mae rhywbeth o'i le –

Mae'r llythrennau wedi symud. Maen nhw tu chwith.
A'i henw wedi ei gerfio o du fewn y goeden.

MEINIR

TŶ

'Adeiladu tŷ bach, un, dau, tri,
to ar ei ben o a dyna ni . . .'

Mor syml ydi codi tŷ. Tai. Sgubo caeau efo padell ludw a brwsh. Torri coed cyn rhwydded â chlipio gwinedd. 1, 2, 3, a dyna ni.

Ystyriwch am funud: taswn i ddim yma, siŵr o fod mi fysa'r wernen, fel y gweddill, yn prifio mewn coedwig neu gae. Ar y llaw arall, lasa hi fod wedi ei thorri'n stwmp flynyddoedd yn ôl.

Be 'di'r dewis gorau i goeden, 'dwch? Blasu'r haul ond ofni'r fwyell, neu fyw heb awyr iach ond â chariad teulu rhwng pedair wal?

Yna, ystyriwch y teulu. Meinir, Alwyn, ei fam, ei thad hithau, a'i dad yntau'n lapio'u breichiau rownd y wernen. Teimlo garwder ei phlisgyn ar eu croen. Mochel dan ei dail. Dychmygu sut oedd hi fel coeden ifanc cyn y lonydd a'r tai.

Wrth dyfu, bwytaodd y wernen dameidiau o'r waliau. Coeden yn cofleidio wal, neu wal yn cofleidio coeden. Gewch chi ddewis. Ac fel unrhyw goflaid dda, mae hi'n goflaid o gydedmygedd o'r ddwy ochr.

A dyma fi eto, y storïwr â'i ddrysau clo a mieri drosta i. Chwedl, gwir neu gau. Mi ddeudodd rhywun unwaith fod gorliwio yn gwneud stori'n well. A phwyll pia hi, medd un arall, am fod halen mor debyg i siwgr. Plis, os gofiwch chi, bob tro y byddwch yn meddwl amdana i triwch agor ddrysau sydd wedi eu cloi neu helpu i ddatod y drain.

'Adeiladu tŷ bach, un, dau, tri, to ar ei ben o a dyna ni; sbio trwy y ffenest, be welwn ni? Meinir fach yn cysgu, ust, da chi, Meinir fach yn cysgu yn y tŷ, Meinir fach yn deffro! I ffwrdd â hi!'

ALWYN

Roedd hi'n chwarae yn yr ardd. Dyna'r cwbl.

O'n i'n hel fy mhethau at y gwaith, a finna'n yn ei gweld hi'n dringo'r dderwen, fel yr oedd hi'n ei wneud bob cyfle posib.

Es i frwsio fy nannedd.

Taswn i'n gwybod be oedd ar droed, faswn i wedi mynd i wrando arni'n rhoi ei phregeth foreuol i'r adar. Taswn i'n gwybod fod y triawd yn troi'n ddeuawd y bore hwnnw, faswn i 'rioed wedi ei gadael hi ar ben y goeden.

Faswn i byth wedi mynd i frwsio fy nannedd.

LONA

Roedd hi'n medru siarad fel tasa 'na ddim fory. Ella, ei bod hi'n gwybod nad oedd fory ar gael i bawb. Weithiau, dwi'n ei chlywed hi'n paldaruo rhwng y blodau a'r coed. Holi sut ddiwrnod gafodd yr eirin, a be fu'r rhosod yn ei neud tra roedd hi'n yr ysgol. Dwrdio'r brigau am beidio gofalu am y dail pan oedd hi'n wyntog, a chanmol y meillion am warchod y pridd.

Dwi'n dilyn ei llais i'r ardd gefn, ac am eiliad dwi'n meddwl ei bod hi yno. Ar ei chwrcwd yn rhwbio 'sbrigynna o lafant rhwng ei dwylo, a'u blew piws yn disgyn ar y gwair. Mae gen i gymaint i'w ddeud wrthi.

Dwi isio iddi nghlywed i yn dweud 'mod i yma bob cam. 'Fydda i yna i brynu y bra cynta'. Fydda i yna i lenwi poteli dŵr poeth ar ddyddiau misglwyf. Mi ddangosa i be' ydi coffi da.'

Dwn i'm.

Haws gen i smalio na hiraethu.

Smalio dy fod ar drip ysgol neu wedi mynd am dro hir hir.

Neu'n dair ar ddeg yn gwisgo masgara a rhowlio dy ll'gadau.

Dwi isio smalio cwyno 'mod i'n yrrrwr tacsi yn lle mam.

Ti newydd gael swydd. A wedyn babi mewn siôl. Ac un arall.

Dwi'n smalio agor cardiau Nain Bach Ni, Ni Bia Nain, Nain Bia Ni.

Welish i ddim ffarwél dy fyd saith oed. Welish i ddim mo fore bach dy fochau'n ddiflannu i'r niwl.

I ble'r est ti? Ti â'th lygaid barcud, a welai gestyll mewn cymylau a thanau mewn tonnau?

Ti, yr un oedd yn mynnu tawelwch i glywed sŵn y glaw. Gweld dy deidiau mewn sêr, a'r nefoedd drws nesa.

Ar ôl i ti ddisgyn, ceisiais fwytho'r haf ar dy groen. 'Awn ni ar wyliau. Tyrd i chwarae mig yn y coed. Dros y caeau. Awn ni i dop y bryn heb stop. Paid â mynd. Nionyn ni.'

Dwi'n stopio siarad ac ma'r smalio bach yn disgyn dros y lawnt fel y lafant.

TŶ

999 what emergency please? Deffra. Lle ma' nhw? Gna rwbath. Helô, lle mae hi? Yn yr ardd. Adrenalin. Damwain. Dim bai ar neb. Un o'r pethau 'na. Disgyn a tharo'i phen. Dringo i ben y dderwen. Mor sori. Dwi'm yn dallt. Mae hi'n nabod y goeden fel cefn ei llaw. Syrthio'n glec. Be ddigwyddodd? Allwn ni ffonio rhywun i ddod atoch chi? Brwsio dannedd? Ambulance or police? Hold the line. Doedd hi ddim yn ei phetha.

Sugno
brawddegau
fesul munud,
fesul blwyddyn.

Mae hi mewn lle gwell. Aeth hi'n dawel, bendith. Bara brith, diolch yn fawr. Tisio rwbath? Unrhyw beth, gadewch ni helpu. Gwbod sut ti'n teimlo. Quiche, diolch yn fawr. Amser sy'n gwella. Meddwl amdanoch. Oedd hi'n arfer dringo coed? Bod yn gryf i'ch gilydd. Dwi'm isio gweld neb. O'dd hi 'di bod yn sâl? Pawb â'i amser. Toedd hi'n beth annwyl. So sorry for your loss. Un bach od oedd hi'n de? Claddu neu'r Crem? Siarad efo coed. Gair o gysur. Siwgr a llefrith? Pob cydymdeimlad i chi'ch dau. Hanes yn papur eto? Duw biau edau bywyd. We've brought you some grapes.

Pam dydyn nhw'm yn fy ngweld i? holai Meinir.
Ti'n guddliw, sibrydais.
Fel adar mewn nythod?
Naci, fel dant ar hances wen.

LONA

Un tro, mewn gwlad bell i ffwrdd, flynyddoedd maith ymlaen, mae Alwyn a fi'n hapus, yn y tŷ newydd. Ci bach a garej. Ffrindiau dros ffordd. Ffrindiau drws nesa. Cymdeithas.

Mi alla i gerdded i'r siop, a rownd y gornel mi ga i beintio ewinedd a phostio. MOT i'r car, benthyg llyfrau, becws a nofio.

Dwi'n ffonio Alwyn o dŷ ffrind i adrodd y stori. Ein stori ni. Mae o un ai'n styfnig neu'n 'styried, dwi'm yn siŵr. Tydi o'm yn gwrthod nac yn derbyn, ond mae 'na rywbeth wedi newid.

Mae o'n egluro fod y dail wedi darfod. Pob deilen wedi disgyn a choed y tŷ yn foel. 'Mae enw Meinir tu chwith ar y goeden-bol-mawr. Fel tasa hi ei hun wedi ei sgwennu fo o'r tu fewn,' meddai.

Dwi'n ypsetio, am iddo ddweud ffasiwn beth, ond dwi'n gwasgu 'nwylo'n dynn er mwyn peidio gwylltio. 'Tyrd lawr i'r dre, Alwyn. Mae'r tŷ newydd yn barod. Ti a fi. Tra Bo Dau. Dyna ddudo ni ar y dechra.'

'Cariad pur sydd fel y dur.'

'Profa hynny.' Dwi'n diffodd y ffôn cyn iddo gael cyfle i ateb.

ALWYN A LONA

Dwi'n ceisio cyffwrdd y cymylau. Maen nhw o fewn cyrraedd yn fama. Ar ben y bryn.

Nes at y nefoedd. Nes at Mam a Taid.

Mi roedd Meinir yn gweld cestyll yn yr awyr, wynebau mewn tai a mapiau mewn dail. Doedden ni'm yn sôn rhyw lawer am y nefoedd, ond roedd hi'n bendant ei fod o rwla uwchben y bryn a drws nesa i'r cymylau.

Dwi'n trio ymestyn fy mreichiau cyn uched ag y galla i, ond mae'r cestyll niwlog yn rhy bell, a tydi Meinir ddim yno beth bynnag. Sgen i'm syniad lle mae hi, achos dwi'm yn coelio mewn nefoedd go iawn. Dwi'n credu mewn hiraeth a chariad, dyhead, coed a natur.

Ddylwn i fod wedi dod â chôt gynhesach, mae'r gwynt yn feinach ar ben y bryn nag o'n i 'di ystyried. Dwi 'di ffonio ac anfon sawl tecst, ond tydi o heb ateb.

Dwi'n sefyll yn llonydd am funud yn anadlu'r olygfa. Dwi'n teimlo mor dal fyny fama, y tŷ fel bocs matsys, a choeden-bol-mawr fel model clai. Mae waliau'r tai newydd yn dechrau magu siâp, a'r sylfeini fel llythrennau sgwâr ar y gwair.

A dyna fo Alwyn, draw fancw â'i gefn ata i.

Fama mae Meinir yn ôl Lona. Tydi hi'm yn y coed. Fan hyn oedd hi'n dod am dro i gyfri cestyll. Yr un go iawn yn y dre draw yn y pellter, a'r rhai a welai yn y cymylau. Dwi'n trio eu gweld nhw hefyd, dwi'n chwilio am siapiau'r tyrau uwchben, a dwi'n trio edrych o wahanol gyfeiriadau i geisio gweld yr hyn yr oedd hi'n ei weld. Ond dwi ond yn gweld llynnoedd llwyd ar las yr awyr.

'Di o'm yn dallt 'mod i yma. Mae o'n ymestyn ei freichiau am yr awyr. Dwi'm isio ei ddychryn o drwy weiddi, ond dwi'm isio sleifio chwaith.

Watsia gael y peils, geiriau Taid yn atseinio wrth i mi eistedd ar ddarn o garreg yng nghanol y grug. Dwi'n clywed llais, a dwi'n meddwl am eiliad mai Meinir sydd yna.

Tydi o'm yn troi rownd yn syth. Drwy'r awel gre dwi'n anfon 'Sori' am godi braw, ac mae o'n fy ngalw draw efo'i ddwylo.

Dwi mor falch o'i gweld. Mae gen i gymaint o hiraeth amdani. Mae ei bochau'n goch dan frathiad y gwynt, a chudynnau o wallt yn disgyn dros ei thalcen. Hi ydi craig y berthynas, hi oedd y rhiant mwya naturiol. Hi sy'n gweld synnwyr mewn anhrefn. Dwi'n gachfa hebddi.

Codi coleri i warchod ein clustiau rhag y gwynt a choflaid dynn. Ei oglau cyfarwydd yn socian i'r croen fel eli.

Un o'r adeiladwyr ddeudodd wrthi 'mod i yma. O'dd o wedi 'ngweld i'n troi am y llwybr cerdded. Dwi'n egluro 'mod i isio gweld sut olwg sydd ar stad 'Gwêl y Castell' o'r topiau. Mae'r gwaith yn mynd rhagddo yn o handi erbyn hyn ar ôl yr holl lanast. Sment a sylfeini cryfach a drutach yn wyrthiol yn ôl rheolwr y safle, ac maen nhw wedi cytuno i newid yr enw 'Castle View'. A dwi bron marw isio deud wrthi am y gwreiddiau'n tyfu ganol nos.

Mae o'n teimlo'n o lew, medda fo. Jest isio amser i feddwl ymhell o olwg a thwrw'r adeiladwyr. Mae o'n egluro am y sment a'r sylfeini newydd, ond dwi'n gwybod eisoes. Roedd ceiliog y domen wedi esbonio eu bod nhw wedi cael cyflenwad go bethma ar y dechrau, gan gwmni ceiniog a dimai; a'u bod nhw bellach yn siwio'r cwmni sment am golledion ariannol. Dwi bron marw isio holi Alwyn am hanes y craciau yn y lloriau.

Mae'r coed i gyd yn foel.

Dwi'n meddwl eu bod nhw wedi marw.

Dwi falch o'i glywed o'n cyfaddef, ond wedyn mae o'n dechrau sôn am Meinir yn y goeden-bol-mawr, eto.

Dydi Meinir ddim yn y coed, Alwyn, mae hi'n bob man, lle bynnag ti isio iddi fod.

Mae Lona yn colli mynedd. Mae ei thalcen yn crychu, a'i llygaid yn plycio.

Mae'r tŷ mor fach o fama, prin dwi'n gallu gweld y ffenestri a'r drysau, mae pob dim yn un blotyn o bell.

Nest ti 'rioed weld wyneb y tŷ, naddo?

Dwi'n teimlo'r dagrau yn pigo braidd, dwi'm yn gyfforddus yn trafod y tŷ na'r coed. A dwi'n flin, hefyd, fod gen i ŵr mor wirion a hyfryd yr un pryd. Dwi'n cymryd anadl ddofn.

Does gan y tŷ ddim wyneb, Alwyn. Stori Mam wrth blentyn ydi honna.

Ella nad oedd hi'n gweld wynebau mewn tai, ond o'n i'n gwybod ei bod hi wedi gweld y dail. Wedi gorwedd yn eu canol. Wedi croesawu pob coeden newydd oedd yn tyfu.

Sut fedri di gerdded i ffwrdd mor hawdd?

Alla i'm credu ei fod o wedi dweud rhywbeth mor frwnt.

'Nes i dderbyn y coed, Alwyn, am eu bod nhw'n rhan ohonot ti. Ond tydi coed ddim i fod i fyw mewn tai. Maen nhw angen awyr iach. Mae arnyn nhw angen rhyddid.

Mae hi'n siarad pymtheg y dwsin am hawliau'r coed ac yn deud fod rhaid i ni arwyddo cytundeb terfynol y tŷ ar frys. Mae hi'n bygwth gadael, beth bynnag ddaw. Dwi'n teimlo'n sâl.

Os nad ydi Alwyn yn arwyddo, yna mi fydda i'n chwilio am dŷ newydd ar fy mhen fy hun. Dwi'n deud 'mod i'n ei garu o, ond fy mod i wedi cyrraedd pen fy nhennyn. Cusan ar foch a rhedeg lawr yn ôl i gyfeiriad y tŷ cyn iddo allu deud dim rhagor.

'Nes i droi yn ôl hanner ffordd, gan feddwl cyfadde 'mod i'n gwybod popeth am y gwreiddiau, achos 'mod i wedi eu gweld yn tyfu ganol nos i ganol y cae.

Finna'n cuddio yn y sied gan ofn. Ond cario 'mlaen lawr y bryn oedd orau a pheidio deud dim.

Mae hi'n gadael. A dwi ddim yn gwybod be i'w wneud; dwi'n cerdded ar ei hôl, ond mae hi'n rhy gyflym.

Cyrraedd y gwaelod, ac mae ei char wedi mynd. Dwi'n stopio'n stond wrth ymyl yr arwydd yn yr ardd ffrynt ac yn syllu ar y tŷ.

Dwi'n chwilio am ei lygaid a'i geg, chwilio ym mhob man am ei wyneb, ond y cwbl wela i ydi

pebble dash y gwyngalch a ffenestri.

LONA

Tydi pobol ddim yn ffoi o wledydd rhyfelgar o ddewis. Maen nhw'n gadael am fod yr ofn o fyw yno wedi tyfu'n fwy na'r cariad. A dwi'n meddwl mai dyna sut y cyrhaeddodd Alwyn y tŷ newydd, gyda'i sach gysgu dros ei ysgwydd a phopeth yr oedd o ei angen wedi ei stwffio i fag cefn ac i'w bocedi.

Ddeudodd o ei fod o'n falch o gyrraedd. Dwn i'm oedd hynny'n wir, neu oedd o'n deud i blesio. Mi arwyddodd y cytundeb terfynol ac mi ddewisodd fi, dyna oedd yn cyfri. Ac am y tro cynta yn ein hanes, fo oedd yn mudo a fi'n rhoi lloches.

Mi eglurodd ei fod o wedi deud wrth y rheolwr safle ei fod o'n cytuno nad oedd hi'n ddiogel i ni fyw drws nesa i safle adeiladu, a'n bod ni wedi penderfynu symud yn gynt na'r disgwyl.

Cyn gadael, roedd o wedi gofyn i *Major Gilet* gadw llygad ar y tŷ, achos fod angen 'sgwyddau go gadarn i gadw trefn ar y gweithwyr. Sgwariodd hwnnw'n falch o'i go' o gael joban mor bwysig, medda Alwyn, gan godi ei goler a saliwtio ei ffarwél.

Welodd o'r ddynes dros ffordd hefyd, a dweud wrthi hi am helpu'i hun i bopeth oedd yn y sied. Peiriant torri gwair, tŵls yr ardd. Sisyrnau a ballu.

Mi nath hynny i mi chwerthin.

Ac yng nghanol deud ei stori, mi stopiodd ar ganol brawddeg, crychu ei dalcen a chnoi gewin ei fawd.

'Ma' rhaid mi fynd 'nôl,' meddai'n frysiog. Cydiodd yng ngoriadau'r car, rhoddodd gusan ar fy moch, ac i ffwrdd â fo heb air o esboniad.

ALWYN

Roedd y gwreiddiau'n solat a finnau'n chwysu chwartiau. Mi welodd y rheolwr safle fi'n straffaglian a chynnig help. Roedd ganddo raw well na f'un i.

Wrth dyllu, 'nes i egluro pam 'mod i wedi bod mor fyr fy amynedd efo'r adeiladwyr ers iddyn nhw gyrraedd. 'Mod i'n methu dygymod â gadael cartref oes, a'r lle wnaethon ni fagu Meinir. Mi roedd ceiliog y domen yn ddyn hyfryd wedi'r cwbl, ac mi gawson ni funudau aur yn rhannu profiadau galar ein gilydd. Esboniais 'mod i wedi cael llond bol ar deimlo'n drist, a mor gaeth i adeilad. Methu'n glir â gollwng gafael ar y waliau oedd yn dal gymaint o atgofion da a drwg, a dyma fo'n fy atgoffa mai dim ond cerrig oedden nhw.

Estynnodd law mewn edmygedd i'm llongyfarch am gyrraedd mor bell, gan ddweud mai rhoi'r ffidil yn y to fyddai ei hanes o, o wynebu'r fath golled.

Mi ddangosais enw Meinir ar y goeden-bol-mawr, ac mi ddotiodd at ei henw Cymraeg, gan ddweud ei fod o'n difaru na chafodd erioed gyfle i ddysgu'r iaith.

Roedd ei henw mor glir ag yr oedd o cyn iddi adael, y sillafiad yn gywir ond ôl ambell grafiad o'i gwmpas.

Tra bod sŵn y cerbydau palu yn dal i hymian eu cyfeiliant, es i mewn i'r tŷ, gan ddweud wrthyf fy hun yn sicr mai hwn fyddai'r tro olaf. I fyny'r grisiau, ac i mewn i stafell Meinir. Ystafell wag a'r binwydden yn y gornel. Yn noeth a phob nodwydd ohoni ar y llawr. 'Nes i ddim crio, dim ond estyn at ei boncyff, a chyda'm holl nerth ei thynnu o'r gwraidd. Caeais fy llygaid mor dynn ag y medrwn, a deud yn uchel 'mod i yn ei charu hi, gan obeithio y byddai'r to yn llyncu'r geiriau. Codais y goeden dros fy ysgwydd, cau'r drws a cherdded at y car.

Roedd y bòs wrthi'n gosod y goeden rosod yn daclus yn y bŵt. Wedi ei chario hi o'r ardd gefn heb i mi ofyn. Dangosodd grafiadau'r pigau ar ei freichiau, a thynnu coes, 'Where there's blame, there's a claim!'

Aeth y binwydden i'r sedd gefn yn reit dwt, doedd hi fawr o faint.

'Mae rhosod reit sensitif wrth gael eu symud,' gwenodd gyda winc, 'ond efo gofal maen nhw'n blanhigion da iawn i'w trawsblannu'n eitha llwyddiannus.'

Ysgydwais ei law yn ddiolchgar a nodio, ond dweud dim. Yna coflaid annisgwyl. Coflaid rhwng dau ffrind newydd, ond mor naturiol â chyfeillion oes.

LONA

Mi gymerodd pinwydden Meinir at yr ardd newydd yn ddidrafferth, a'i hoglau bytholwyrdd yn nofio yn y gwynt at y drws cefn. Rhyw ben bob dydd fydda i'n sibrwd ei henw i ganol ei phigau. A thasa coed yn medru bod yn hapus, dwi bron iawn yn siŵr fod hon yn rhoi gwên drwy'i nodwyddau.

Mae'r goeden rosod wedi cydio hefyd, a'i hoglau hithau mor felys ag erioed.

O gegin gefn y tŷ newydd, mae golygfa glir o'n bryn ni a llethrau Meinir. Mae ei siâp yn gliriach o bellter, a'i hagrwch yn harddach rhywsut. Rhyfedd sut ma' pethau wastad yn edrych yn berffaith o bell, a dim ond wrth fynd yn nes y daw'r diffygion yn amlwg.

Yn yr ardd newydd mi blannwyd grug, lafant, mintys, coeden gwsberis, coeden fala, a choeden eirin. 'Dan ni wedi codi gwelyau llysiau, a chael modd i fyw yn tyfu letys, moron a chourgettes dirifedi. Mafon, mefus a ffa.

Mae galar y dyddiau byrrach ac oerach yn galed, ond mae hadau'r hydref yn mynnu sylw ac yn ein gorfodi i gamu o'r tŷ. Mae'r ardd yn geni ac yn marw fesul mis, a'r tymhorau yn athrawon naturiol. Dwi'n droednoeth ar y gwair, ac yn palu heb fenig.

Creu gwreiddiau o'r newydd wrth blannu'n hunain, hefyd, mewn pridd glân.

TŶ

~~Tasa'r~~ **Mae y** *tŷ 'ma'n gallu siarad,*

~~Fysai'n~~ **Ma' hi'n** *stori werth ei chlwad,*

Stori wir heb fawr o gelwydd,

Stori hen a stori newydd.

~~(Bryn Fôn)~~

TŶ NEWYDD

Deffrodd Meinir mewn penbleth. Roedd hi mewn rhyw nunlle, oedd eto fyth yn rhywle. Wedi nythu mewn dail a changhennau, a methu'n glir â gweld lle'r oedd hi.

Roedd hi'n clywed lleisiau yn y pellter a sisial cyfarwydd yn canu grwndi.

Eisteddodd â'i choesau wedi'u croesi, a thynnu'r nodwyddau fesul un a'u clymu'n ofalus â blew gwair i greu cadwyn.

Clymodd y tsiaen rownd ei garddwn a'i fwytho'n falch.

Roedd hi'n gyfforddus ac yn fodlon braf, yn cysgodi dan y dail.

A chlywais hi'n siffrwd – 'Adref'.